Série Harmonie

# ANNA JAMES
# Un long regard bleu

Tout initialed *Eye Of The Tiger* (N°82)
© 1984 Anna James
Originally published by Silhouette Books
division of Harlequin Enterprises Ltd.
en Francis/Canada

Traduction française : Paule Gervais
Nouvelle édition
27, rue ... 75008 Paris

*Les livres que votre cœur attend*

Titre original : *Love On The Line* (65)
© 1984, Anna James
Originally published by SILHOUETTE BOOKS,
division of Harlequin Enterprises Ltd,
Toronto, Canada

*Traduction française de :* Isabelle Stoïanov
© 1985, Éditions J'ai Lu
27, rue Cassette, 75006 Paris

## Chapitre 1

— Ici le docteur Jordan... « Au bout du fil. »

La voix ferme d'Erica Jordan savait se nuancer d'intonations douces et veloutées. Elle jeta un coup d'œil sur la pendule située au-dessus de la cloison vitrée du studio de radio Apel. Il lui restait cinq minutes.

— Je peux encore prendre un appel, annonça-t-elle à ses auditeurs.

Elle pressa au hasard un des boutons qui clignotaient sur sa console.

« Au bout du fil » était l'émission vedette de la station et, au cours de l'heure qui lui était impartie, Erica Jordan ne manquait pas d'interlocuteurs délaissés, éconduits ou simplement seuls. En tant que psychologue clinicienne, elle était habilitée à traiter des problèmes familiaux, sociaux et professionnels, mais la plupart de ses correspondants s'adressaient à elle plutôt pour obtenir des réponses sur leurs difficultés sentimentales.

— Docteur Jordan ? Ici Karen.

Elle reconnut tout de suite le timbre feutré d'une de ses plus fidèles auditrices.

— Bonjour, Karen. Que se passe-t-il ?

— Je voulais vous annoncer la bonne nouvelle

5

avant votre départ en vacances. Tony a trouvé du travail. Il a été engagé dans l'orchestre du Right Angle à Hollywood. Il est enchanté et moi aussi.

Elle eut un rire aussi frais que sa voix.

— Je suis contente pour vous, Karen, et pour Tony. Vous devez être fière de lui. Les choses vont s'arranger maintenant.

— Oh, oui! Je tenais à vous dire toute ma reconnaissance, docteur Jordan.

— Merci. Mais c'est vous qui avez apporté la solution à votre problème. Je n'ai fait que vous conseiller.

Karen avait téléphoné pour la première fois environ six mois auparavant, afin d'exposer ses heurts avec son frère aîné.

— Il dit que Tony ne gardera pas cette place, reprit-elle.

Erica ne fut pas surprise d'entendre que l'homme qui voulait diriger la vie de l'adolescente était de nouveau intervenu. Mais elle ne répondit pas car elle savait que sa petite correspondante trouverait toute seule la parade.

Et, en effet :

— Mais je ne laisserai pas mon frère nous décourager. Je ferai tout mon possible pour aider Tony et pour que ce travail soit notre chance.

Erica sourit intérieurement. Sa protégée commençait à faire une nette distinction entre les deux hommes de sa vie : son frère et son fiancé.

— Bravo ! dit-elle en adressant un signe à la régie.

Elle souhaita bonne chance à sa correspondante et coupa la communication.

— Ce sera notre dernier appel pour aujourd'hui. Que ceux qui n'ont pas pu passer sur l'antenne n'hésitent pas à nous retéléphoner la semaine prochaine. Je serai en vacances mais le Dr Nichols me remplacera dès lundi et je suis certaine que vous l'apprécierez. A bientôt.

Elle leva les yeux sur le réalisateur, derrière la vitre. Il dressa le pouce en guise d'accord ; aussitôt Erica ôta son casque, secoua ses longs cheveux bruns. Mais elle resta assise, pensant à la jeune Karen qui semblait avoir résolu ses problèmes ; elle s'était prise d'amitié pour cette jeune fille de dix-neuf ans à qui son frère aîné, dont le nom n'avait jamais été prononcé, ne facilitait pas la vie.

Elle rassembla ses papiers et ses livres tout en essayant de se représenter cet homme autoritaire ; ce devait être un célibataire aux vues étriquées, démuni de tout sens de l'humour. Elle sourit à cette évocation et finit par remarquer les gestes frénétiques du réalisateur derrière sa vitre. La publicité allait se terminer et il avait besoin du studio pour l'émission suivante. Erica lui envoya un baiser du bout des doigts et quitta la petite pièce pour se diriger vers le bureau d'Howard Knight.

Le directeur de la station s'était assoupi, son double menton reposant sur sa poitrine. Il s'éveilla en sursaut quand il entendit frapper, cligna des yeux.

— C'était très bon, Erica.

Il lui désigna un fauteuil de cuir dans lequel elle s'assit, croisant ses longues jambes gainées dans un jean.

— Vous avez encore fait sauter le standard. Croyez-vous que le Dr Nichols sera à la hauteur ?

— Martin est génial. Un grand professionnel.

Howard but une gorgée de son éternel et indispensable café. Il avait une fâcheuse tendance à s'endormir au milieu des réunions et le directeur de la programmation jurait l'avoir entendu un jour ronfler en pleine conversation téléphonique. Mais quand il ne sommeillait pas, Howard Knight devenait un bourreau de travail, un véritable génie en matière de vente, de gestion et de publicité. Il était au fait de tout ce qui se passait dans sa chère station, Apel, l'une des plus célèbres du sud de la Californie.

— J'espère que vous dites vrai, commenta-t-il en hochant la tête.

Il prit un rapport sur son bureau, le tendit à Erica dans un geste exagérément théâtral.

— Regardez ceci. Les demandes de publicité de quatorze heures ont diminué dès que vous avez annoncé vos deux semaines de vacances et, lorsque nos commerciaux ont dû le confirmer à nos clients, ce fut la débâcle.

— Martin est parfaitement capable de conserver nos auditeurs, et vos chers annonceurs reviendront dès qu'ils l'auront compris.

— Sans doute. Mais pourquoi tenter le diable ? Si vous ne preniez que quelques jours, ils ne nous retireraient pas leurs commandes. Nous devons nous maintenir ici...

Il lui montra le sommet d'un graphique.

— Et non descendre là, ajouta-t-il en désignant, beaucoup plus bas, un point imaginaire.

Les yeux noisette d'Erica s'illuminèrent d'un grand sourire.

— Vous n'y descendrez pas, Howard Knight ! N'essayez pas de me culpabiliser. Je n'ai pas pris de congé depuis deux ans, j'estime en mériter un.

— Naturellement. Un week-end prolongé à Palm Spring, trois ou quatre fois par an. Vous pouvez bien étaler vos vacances par égard pour mes annonceurs, non ?

— Non. Je m'offre deux semaines au club Capricorn.

Howard essaya une autre tactique.

— Ce n'est pas un endroit pour vous. Vous n'y rencontrerez que des aventuriers !

— Tant mieux.

Il remarqua les fossettes que son sourire faisait apparaître.

— Et puis j'aime un peu d'imprévu une fois de temps en temps. De toute façon, c'est Iris qui m'invite. Vous ne voulez tout de même pas contrarier ma mère ?

Il s'adossa à sa chaise, songeur.

— Je ne suis jamais parvenu à lui résister, dit-il.

Iris Caldwell avait en effet toujours désiré voir

sa fille s'installer en Californie et s'était arrangée pour la présenter à Howard Knight.

— Il faut dire qu'avec vous, j'y ai gagné autant qu'elle, admit-il. Mais aujourd'hui, je ne me laisserai pas faire.

Il vida sa tasse de café.

— D'ailleurs, je suis jaloux.

— Vous voulez aller au club Capricorn ?

— Rien que pour vous voir en maillot de bain ! dit-il en riant. On ne rencontre pas tous les jours une psychanalyste dans un corps de danseuse de Las Vegas !

Erica se leva, franchement amusée.

— Au moins savez-vous tourner le compliment, Howard !

— Mais vous ne changerez pas d'avis pour autant ?

— Il n'en est pas question. La danseuse part en vacances aux frais de sa maman.

Howard fit le tour de son bureau pour recevoir son au revoir hebdomadaire. Erica se pencha et déposa un baiser sur sa joue. A vingt-neuf ans elle mesurait facilement dix centimètres de plus que son patron.

— Je vous enverrai une carte postale, Howard.

— Ah non ! Je ne veux plus entendre parler de vous !

Elle se dirigea vers la porte en riant, s'arrêta devant, comme si elle attendait.

— D'accord, marmonna Howard. Bonnes vacances !

10

— Merci.

Un bref salut de la main et elle était sortie.

Elle traversa le parking pour rejoindre sa voiture vert métallisé, en se disant qu'elle avait décidément bien fait de venir s'installer en Californie. Après la période noire de sa vie, au cours de laquelle son mariage... idéal avait échoué, il lui avait fallu changer complètement de mode d'existence et elle n'avait jamais eu l'occasion de regretter cette décision.

Elle manœuvra en direction de Newport Center Drive, le sourire aux lèvres. Elle n'aurait jamais imaginé, deux années auparavant, se retrouver au volant de cette Datsun 280-Z, le long des rues fleuries de Newport Beach. A l'époque, elle était plus réservée et ne cédait jamais à ses impulsions. Elle tourna au carrefour et entra dans le parking des magasins Newman-Marcus. La réflexion de Howard venait de lui donner une idée.

Elle s'arrêta à proximité de l'entrée principale, monta au premier, choisit longuement trois maillots de bain et chercha une cabine pour les essayer.

— Je ne sais pas si j'aurai le courage de me promener dans cette tenue! dit-elle à la vendeuse qui lui proposait de l'aider.

— Avec la silhouette que vous avez, ce n'est pas une question de courage, répondit cette dernière.

Elle ressortit de la cabine, vêtue d'un slip mauve, qui remontait très haut sur ses cuisses

11

fuselées, soulignant sa taille mince et son ventre plat, et d'un soutien-gorge juste assez large pour envelopper son harmonieuse poitrine.

— Pensez-vous que je reste décente ?

— Tout juste !

Elles se mirent à rire en chœur et la jeune femme retourna s'habiller tandis que la vendeuse établissait la facture. Howard avait tort : elle avait les hanches trop étroites pour une danseuse de Las Vegas ! A part cela, grâce à l'aérobic, elle se maintenait dans une forme éblouissante. Mais elle n'était pas sûre de pouvoir se contenter de ces cent grammes de tissu pour tout vêtement.

Impulsive ! se dit-elle en sortant sa carte de paiement.

Son achat sous le bras, elle passa devant le rayon des livres et put constater que son ouvrage *De Femme à Homme* se vendait très bien.

Elle avait écrit, quand elle était encore étudiante, ce recueil de conseils destiné aux jeunes femmes désireuses de rencontrer un compagnon, ailleurs que dans les bars et les boîtes de nuit. Comme elle n'était pas timide, Erica n'éprouvait aucune difficulté à engager la conversation dans les supermarchés, les salons d'attente chez le dentiste, sur les courts de tennis.

Les hommes se trouvent où vous les cherchez, disait-elle toujours à ses amies.

A force de répéter ces préceptes, elle avait fini par rédiger un article, puis un livre, qui avait connu plusieurs rééditions.

Elle secoua la tête en repensant aux photocopies qu'elle avait faites de son manuscrit pour les expédier à trois éditeurs ; à sa surprise, lorsque deux d'entre eux l'avaient refusé d'emblée.

Le troisième lui avait téléphoné. Sans plus réfléchir, Erica avait aussitôt accepté son offre, loin d'imaginer qu'elle avait presque réalisé l'impossible : vendre son premier manuscrit sans commande préalable.

« Il nous faudrait une photo, mademoiselle, pour la couverture. »

En fait, elle n'était pas du tout certaine d'avoir envie d'apparaître au dos d'un traité de psychologie populaire. Elle voulait pouvoir poursuivre ses études sérieusement.

Adolescente, elle désirait faire du théâtre ; c'est en tentant de se lancer dans cette carrière qu'elle avait pris conscience de ses dons d'écoute, dénués de toute forme de jugement. L'un de ses professeurs lui conseilla de s'orienter vers la psychologie. Dès lors, plus rien ne l'arrêta sur sa lancée. Elle s'inscrivit à l'université et ses travaux dépassèrent rapidement la teneur de son livre.

Elle désirait cependant être publiée, aussi envoya-t-elle une photo, mais qui n'était pas d'elle. L'éditeur apprécia l'image de la jolie blonde un peu sophistiquée qui lui paraissait correspondre parfaitement à l'auteur d'un tel ouvrage. Celui-ci, en effet, se vendit bien et nécessita rapidement une réédition. La jeune femme toucha de substantiels droits d'auteur tandis qu'en Californie sa mère signait les dédicaces. Car c'était la photo d'Iris Caldwell qui ornait le dos du livre.

Erica quitta le magasin, le sourire aux lèvres. Iris adorait être arrêtée dans la rue pour signer des autographes et régnait sur toute la vie sociale de Corona del Mar. Ce succès l'aida peu à peu à accepter que sa fille devînt psychologue et non actrice. En montant dans sa voiture, Erica se disait que, après tout, la vulgarisation d'une science comportait bien des avantages pour son auteur.

Iris avait toujours appelé sa maison de Corona del Mar un bungalow, ce qui amusait sa fille. Elle ne comprenait qu'un seul étage au centre d'un minuscule jardin fleuri. Mais, située et décorée comme elle l'était, elle pouvait faire battre le cœur de n'importe quel agent immobilier. Elle donnait sur les plages du Pacifique, au milieu d'un des quartiers les plus élégants de la région.

Erica se gara en contrebas de la rue tranquille, puis monta, quatre à quatre, les marches abruptes bordées de citronniers, de lauriers-roses, d'hibiscus, de jasmins et de bougainvilliers. Il faisait bon et les fenêtres restaient ouvertes. Elle pénétra dans la petite entrée pour passer directement dans le salon élégamment décoré dans des tons crème et bleu pâle.

Lorsque Iris apparut dans son caftan lavande, ses cheveux platine relevés en une coiffure

14

savamment négligée, Erica formula ses pensées à voix haute :

— Invraisemblable !

— Quoi, ma chérie ?

Iris tendit la joue pour que sa fille l'embrassât. Avec son mètre cinquante-sept, elle portait toujours des talons hauts qui lui donnaient, selon son expression, la stature que la nature lui avait refusée.

Erica s'empressa d'improviser un compliment avec lequel elle était sûre de lui faire plaisir :

— Que je puisse être la fille d'une femme aussi magnifique !

Iris ne parut pas s'étonner outre mesure et se déplaça dans la pièce avec une grâce qu'elle avait dû étudier dès l'âge de neuf ans.

— Je me donne du mal, expliqua-t-elle. Et il n'est jamais trop tard pour s'y mettre.

Son regard s'attarda sur le jean et la chemise informe de sa fille unique.

— Ma chérie, tu as tort d'aller travailler dans cette tenue.

Ses sourcils, parfaitement arqués, se froncèrent, malgré le risque qu'une telle expression faisait courir à son front si lisse.

Erica réprima un sourire.

— Tu sais, je n'y rencontre que Howard et Joe, mon réalisateur. Mes auditeurs ne me voient pas et j'ai dans mon cabinet de quoi me changer avant l'arrivée de mes patients. Ne t'inquiète pas.

Elle s'assit dans un canapé, recouvert de satin.

15

— Je suis venue chercher mon billet et te rendre une petite visite. Alors, ne nous disputons pas, une fois de plus, à propos de mes vêtements.

— Je vais tout de même te poser une autre question. Pourquoi soignes-tu tellement ta ligne si c'est pour t'habiller aussi mal ? Avec de telles jambes, crois-moi, je ne porterais que des jupes courtes !

Iris sortit une enveloppe d'un tiroir.

— Et regardez-moi ce chemisier ! ajouta-t-elle. A quoi cela ressemble-t-il ?

— Maman, tu connais le madras ! D'ailleurs, je l'ai acheté ici.

— Ce n'est pas une raison. Il y a autant de femmes mal fagotées à Corona del Mar qu'ailleurs. Je ne te demande pas d'exhiber ta silhouette comme une starlette, mais ne la cache pas non plus !

— Avec le bikini scandaleusement petit que je viens d'acheter, tu seras sans doute satisfaite.

Iris s'assit à côté de sa fille.

— Ce sera très bien pour commencer, approuva-t-elle. D'autant que tu rencontreras là-bas beaucoup d'hommes très... présentables.

— Es-tu certaine que j'y serai à ma place ? demanda la jeune femme d'un ton mutin.

Sa mère acquiesça en fermant les yeux, visiblement très fière.

— Tu es le Dr Erica Jordan ! Ne l'oublie pas. Hier encore on m'a parlé de ton livre au club de bridge.

— On t'avait reconnue d'après la photo.

— D'accord, mais c'est toi qui l'as écrit et j'étais flattée de dire que tu étais ma fille. Les gens apprécient toujours de connaître un auteur.

Elle lui tendit la brochure du club Capricorn. Situé dans une des îles Caraïbes, c'était plus qu'un simple lieu de vacances car il offrait de multiples activités propres à détendre les hommes d'affaires surmenés.

— Cours de yoga... gymnastique... expression collective... Je serai en pays de connaissance !

— Attention, Erica ! Tu ne vas pas perdre ton temps à ces inepties ?

De nouveau les sourcils se froncèrent, brièvement cette fois.

Erica plia le catalogue et le glissa dans l'enveloppe, avec son billet.

— Je te promets de m'amuser, maman. Beaucoup. Et je te remercie pour ce merveilleux cadeau d'anniversaire.

— Tu es née au mois de mai !

— Je fêterai mes trente ans avec un peu d'avance, voilà tout.

Iris secoua la tête.

— Surtout n'avoue pas ton âge à qui que ce soit !

— Mais je n'en rougis pas !

— Moi si ! répliqua-t-elle en riant.

La jeune femme reprit son sérieux.

— Je pense que cette décennie sera fructueuse pour moi. Ces deux dernières années m'ont plutôt éprouvée ; il y a eu le déménagement, l'installation dans mon nouveau travail, la préparation de l'émission, la mise en chantier du prochain livre... et le retour au célibat !

Elle se rembrunit quelque peu avant de sourire à nouveau.

— Mais tant de choses peuvent encore arriver. J'attends l'avenir avec confiance.

— Tu vois bien que nous nous ressemblons. Tu réagis comme moi. Ton père, Eric Jordan, était l'un des hommes les plus beaux que j'aie jamais rencontrés, mais totalement imprévoyant et dénué de la moindre ambition ; heureusement, sur ce plan tu tiens de moi, ma chérie !

— Il me semble que tu n'as jamais travaillé ?

Iris parut stupéfaite.

— Mais bien sûr que si ! Crois-tu que jouer l'épouse parfaite aux yeux de mon cher William était de tout repos ?

Elle marqua une pause, en souvenir de son second mari.

— Ce n'est pas ma faute s'il est mort prématurément, en me laissant toute sa fortune. J'ai tenu ma maison à la perfection ; maintenant je travaille à mes comités de charité, à mes réceptions...

— Ce n'est pas ce que j'appelle travailler, maman.

Erica ne voulait pas en démordre.

— Pourtant ! Récolter de l'argent en faisant du porte-à-porte pour les bonnes œuvres n'est pas toujours très drôle !

Comme Erica esquissait un mouvement pour se lever, Iris avança son dernier argument :

— Ma principale préoccupation, en ce moment, c'est de trouver un bon mari pour ma fille.

— Maman ! J'ai divorcé il y a deux ans, je ne tiens pas du tout à...

— Ecoute, je ne te demande pas de te remarier dans trois mois, ni même cette année. Tu verras bien quand cela viendra. Et maintenant, ajouta-t-elle, une galerie de peinture vient de s'ouvrir au bout de la rue, accompagne-moi pour le premier vernissage !

Elle lui coula un regard de velours noir.

— Si tu veux, ajouta Iris sur le même ton sans réplique, je te procure un chevalier servant. J'ai rencontré il n'y a pas longtemps un charmant jeune homme et je crois bien...

— Non, merci. Je dois rentrer faire mes bagages, prendre un bon bain chaud et me coucher tôt si je veux partir en forme demain.

— Oh ! Ma chérie !

Iris avait pris un ton désespéré.

— Je n'ai même pas vérifié ta garde-robe !

Erica éclata de rire.

— Elle se réduit à peu de chose : deux bikinis, deux shorts et une robe bain de soleil. Je ne vais pas à Monte-Carlo !

Elle se dirigea vers l'entrée, espérant en avoir terminé avec cette conversation. Elle avait toujours du mal à se dérober aux soins un peu trop attentifs de sa mère, surtout quand cette dernière avait une idée derrière la tête.

— Quand bien même! répliqua Iris en la suivant d'un pas déterminé. Je t'ai dit que la plupart des gens que tu allais rencontrer étaient des hommes et les hommes aiment les femmes féminines!

Devant une telle logique, Erica ne put que serrer dans ses bras cette mère si petite et si fine.

— Ecoute, Iris. Je me coifferai, je mettrai du rouge à lèvres et tout ira bien. De toute façon, je ne cherche pas à attirer les regards. Pas cette fois-ci.

Iris s'attendait à cette remarque.

— En général cela arrive quand on s'y attend le moins! Je crois beaucoup aux coïncidences. Tu rencontreras peut-être quelqu'un de la région, que tu aurais pu connaître si tu t'étais donné la peine de sortir un peu plus...

— Je crois plutôt que la plupart d'entre eux viendront de très loin, de Chicago, d'Indianapolis et... que sais-je? Detroit.

— Il ne manquerait plus que tu tombes amoureuse d'un homme du Nord! s'exclama Iris tout en raccompagnant Erica à sa voiture.

— Je ne voudrais pas que tu quittes la Californie! ajouta-t-elle.

Erica s'arrêta, ouvrit la portière.

— Dans ce cas, il fallait me laisser prendre mes vacances ici. C'eût été plus prudent.

Iris se mordit la lèvre, puis reprit comme pour se rassurer :

— Je suis certaine qu'il y aura là-bas au moins un Californien et qu'il sera...

— Présentable.

La jeune femme embrassa sa mère et démarra.

# Chapitre 2

— Je ne m'intéresse ni au club Capricorn ni à aucun autre !

Le Dr Jess Ingram posa un regard bleu glacé sur l'homme assis en face de lui.

— Là n'est pas la question. Les ordres viennent d'en haut et sont formels : tu dois prendre deux semaines de vacances pour refaire le plein d'énergie.

Charlie Levinson bourrait sa pipe méthodiquement. Il l'alluma et contempla son collègue à travers le rideau de fumée grise.

— Mais je me porte fort bien ! J'ai travaillé dur sur un projet important, ce qui ne signifie pas que je sois épuisé.

Sa haute silhouette anguleuse se tassa dans le fauteuil de cuir.

Tous les bureaux de la fondation Murdock pour la recherche médicale, à Mission Viejo, en Californie, offraient le même aspect net et fonctionnel. Celui du Dr Ingram paraissait plus spartiate que les autres avec une unique gravure pour toute décoration sur les murs blancs : un bateau pris dans la tempête. Sur la table d'acajou s'amoncelaient des dossiers étiquetés. Jess n'avait pas de temps à perdre. Plus d'un employé, incapable de mettre immédiatement la main sur un document, avait dû subir son regard froidement méprisant.

— Je ne suis pas stressé, reprit-il en employant à dessein une expression à la mode mais qui lui déplaisait.

— Nous avons tous besoin de repos un jour ou l'autre. Tu n'es pas Superman et tu n'en a pas pris depuis longtemps.

Charlie connaissait son ami mieux que personne et savait que le brillant et... irascible chercheur n'aimait rien tant que travailler et qu'il exigeait autant de ses collaborateurs que de lui-même, c'est-à-dire beaucoup. Mais Charlie savait aussi repérer quand il parvenait au bout de ses forces. Il attendit un instant que ses mots produisent leur effet.

Jess le laissa attendre. Puis il se pencha en avant, caressa sa barbe blonde.

— On dirait que le patron veut me mettre au vert, observa-t-il tranquillement.

Charlie répondit sans détour.

— Tu es le meilleur de nos médecins et le seul à pouvoir faire aboutir ton projet. Tyler entend, bien sûr, que tu le mènes à bien ; mais aussi que tu restes en forme ! Et je suis d'accord avec lui.

Jess ne put cacher sa surprise.

— Pourquoi ?

Sans laisser à son interlocuteur le temps d'ouvrir la bouche, il précisa l'idée qui lui venait à l'esprit :

— Je sais que j'ai beaucoup demandé à mes employés ces derniers temps.

Il s'adossa à son fauteuil, un sourire pensif aux lèvres.

— J'admets qu'une bonne nuit de sommeil ne me ferait pas de mal.

— Ce ne serait pas suffisant ; tu es au bord de l'épuisement.

— Et c'est pourquoi on m'impose ces mesures draconiennes ?

Il reprit la brochure du club Capricorn.

— Ne crois-tu pas qu'ils vont un peu loin ? Avec ce nom, je vais me retrouver au beau milieu d'astrologues et... de fanatiques. Ecoute : Relaxation de groupe ! Franchement, Charlie, tu me vois dans un groupe de relaxation ? *Rolfing.* Qu'est-ce que c'est que ça ?

— Une sorte de massage, je crois.

Jess secoua la tête.

— Je suppose que cela se fait en sessions de groupe. Et saurais-tu m'expliquer ce que sont l'acu-yoga et le bio-feed-back ?

— Le premier existe depuis des siècles et le second est basé sur des données médicales très solides.

Et Charlie ne put s'empêcher d'ajouter :

— Comme tu le sais parfaitement.

— Peut-être. Mais faut-il les pratiquer en public ? Pour moi, tout cela n'est que divagation psychologique.

Charlie ne put réprimer un sourire.

— Je précise que la femme de Tyler y croit dur

comme fer. C'est elle qui a recommandé ces méthodes pour tous les chefs de service de Murdock. Il se trouve que tu es le premier.

— Magnifique ! Alors me voilà le cobaye de ces dames.

Cette fois, Charlie rit à pleines dents.

— Le principe de base étant que, si tu supportes l'expérience, tout le monde pourra la supporter.

Il reprit son sérieux.

— Tu as trop travaillé ; cela en devenait comme une obsession, depuis dix-huit mois que tu te penches sur cette théorie. Tu es tendu, agressif. Et je ne suis pas certain que tu gardes le moindre souvenir de ta dernière soirée libre.

— Chez toi, la semaine dernière.

— Peut-on vraiment mentionner ce dîner prévu pour huit heures où tu es arrivé à dix heures et demie ?

— Avec tout le respect que je dois aux talents culinaires de Carole, j'ai plus important à faire, vieux. Je suis sur le point de voir aboutir mes recherches sur de nombreuses maladies rhumatismales et sur les failles du système immunitaire en cas d'allergie...

Il se leva, se mit à marcher de long en large.

Son collègue était le premier à pouvoir comprendre une telle passion et tous deux partirent dans une discussion qui dura presque toute la matinée. A la fin, Jess lui rappela :

— Je t'ai déjà dit que je ne m'arrêterais que notre but atteint nous en sommes si proches !

— J'en suis conscient. Mais tu peux tout aussi bien en avoir encore pour des mois. Il est temps pour toi de marquer une pause. De toute façon, toutes les informations que tu as compilées ces derniers mois vont être transmises à l'ordinateur pendant ton absence. Vois-tu, nous continuerons quand même à progresser.

Jess hocha la tête, s'assit pour écouter, le menton entre ses doigts.

— Je te promets d'en retirer assez de feuillets pour remplir ton bureau, le laboratoire et même ta maison. Je te prépare des montagnes de travail pour ton retour. Pendant ce temps, profite bien de tes vacances. Tâche d'éviter les séminaires et concentre-toi sur les femmes.

— J'imagine déjà le genre de personnes que je vais y rencontrer : riches et arrogantes. Très peu pour moi.

Ses yeux se mirent cependant à briller :

— Non, ce qui m'intéresse beaucoup plus c'est la perspective de faire du bateau.

— Seul ? Alors qu'on t'envoie dans un endroit où tout est organisé pour favoriser les rencontres ? Si j'étais célibataire...

— Seul, Charlie. Juste moi, un bateau et l'océan. Peut-être quelques mouettes au-dessus de ma tête pour compléter le tableau.

Il sourit.

— D'accord, j'irai au club Capricorn. Mais j'y ferai ce que je voudrai.

26

En quittant la maison de sa mère, Erica traversa Corona del Mar avant de prendre l'embranchement pour Laguna Beach tandis que le soleil descendait lentement à l'horizon du Pacifique.

Elle négocia consciencieusement le premier virage d'une route tout en corniches, à pic sur la mer, puis s'abandonna à ses pensées.

Elle avait dit la vérité à sa mère : elle s'était bien adaptée à la vie californienne. Elle avait dit également la vérité à Howard : elle se plaisait ici, elle aimait sa liberté toute neuve. Elle commençait même à se décontracter.

Ce qui n'était pas arrivé sans mal. Après quatre années de travail acharné pour se bâtir une carrière, elle entrait dans sa nouvelle vie avec la tentation, toujours latente, de se surmener. Elle avait dû se faire une clientèle, se lancer dans une carrière à la radio, écrire un nouveau livre et... oublier le passé. Elle s'efforçait de ne pas apporter de travail à la maison, mais il lui arrivait fréquemment de finir très tard avec ses patients.

Mais une fois à Laguna, elle oubliait toutes ces contraintes pour ne plus penser qu'à ses amis ; elle en avait de tous bords : un artiste connu, son comptable, un couple de professeurs, des étudiants qui avaient refait le toit de sa maison, un autre couple qui tenait un restaurant, un écrivain, plusieurs journalistes. Tous aimaient vivre simplement et la jeune femme s'était vite rendu compte que ces moments de loisirs lui étaient précieux.

— Pourquoi veux-tu que j'aille si loin ? avait-elle demandé à sa mère, au moment où celle-ci lui annonçait qu'elle lui offrait ses vacances, quand je me sens si bien chez moi ?

Iris avait une réponse toute préparée :

— Il faut savoir parfois changer de cadre. Et puis, poursuivit-elle avec un petit sourire entendu, tu as peut-être beaucoup d'amis mais aucun d'eux n'est vraiment... spécial.

Ces mots dansaient dans sa tête comme elle traversait les larges avenues désertes. Iris avait raison. Personne n'occupait une place particulière dans sa vie depuis son divorce d'avec Larry.

Elle l'avait rencontré alors qu'ils poursuivaient tous deux leurs études de psychologie clinique à l'université de Chicago. Tous deux, aussi brillants et séduisants l'un que l'autre, s'étaient plutôt évités jusqu'à la dernière année ; elle était trop sérieuse pour fréquenter ce Larry McCrae, play-boy patenté à ses yeux, au regard de velours noir et aux cheveux sombres d'un prince hindou.

Larry était fils d'un médecin et d'une avocate, et savait pertinemment qu'il trouverait sans mal sa place dans le monde de la psychologie. Il était fait pour ce métier, évoluait dans cette société brillante comme un poisson dans l'eau, travaillant juste assez pour obtenir sans mal ses examens, ne négligeant aucune invitation. Mais la tranquille application d'Erica ne lui avait pas échappé, ni son attitude réservée. Il évitait de trop s'approcher d'elle.

L'ironie du sort aidant, ce fut *De Femme à Homme* qui leur permit de faire connaissance. Elle n'en avait parlé à personne mais Larry l'avait découvert et se moqua d'elle.

— Pas si sérieuse, finalement, la petite Jordan ! persifla-t-il avec son lourd accent de Houston.

— Eh bien ! Vous vous étiez trompé sur mon compte ! rétorqua-t-elle. Ce qui ne veut pas dire que je me sois trompée sur le vôtre.

Il vit là un défi et s'empressa de prouver à Erica qu'elle avait trouvé à qui parler. Larry était un homme intelligent, pour ne pas dire surdoué, sans doute un peu paresseux et irrémédiablement fantasque. Erica aimait se distraire mais elle attachait tant d'importance à sa carrière qu'elle savait s'arrêter en temps voulu. Amoureux l'un de l'autre dès leur premier rendez-vous, ils parurent vite former le couple idéal. Et c'est ainsi que les désigna leur entourage.

Ils se marièrent, leur diplôme obtenu, emplirent leur vieille voiture de livres, de disques et démarrèrent pour un long voyage en direction du Kansas où l'Institut psychiatrique Jackson leur avait à chacun confié un poste. Erica n'avait jamais été plus heureuse. Elle aimait un homme qui partagerait non seulement sa vie mais aussi son travail. Tout allait pour le mieux...

Erica chassa ses souvenirs afin de se concentrer sur la conduite de sa Datsun. Elle venait de quitter l'autoroute pour emprunter une petite voie qui menait aux collines ; sa maison était une grande bâtisse toute de verre et de pin qu'elle n'avait pu louer qu'après avoir supplié le propriétaire. S'il pensait qu'elle ne pouvait convenir à une femme seule, il fut vite rassuré ; la maison ne désemplissait pas ; lui-même ne tarda pas à faire partie de ses nombreux hôtes.

Fatiguée, et heureuse d'arriver, Erica sortit de sa voiture pour surprendre aussitôt des vagues de musique provenant du salon. Elle sourit et ouvrit d'un coup la porte d'entrée.

— Me voilà ! cria-t-elle.

— Enfin ! s'exclama une voix pointue.

Des rires fusèrent.

— Nous sommes venus te souhaiter de bonnes vacances. Pour commencer, tu viens boire un verre. Regarde ce que nous t'avons préparé !

Elle accompagna dans la cuisine Greg, son voisin le plus proche, qui lui présenta une lourde cruche glacée.

— Méfie-toi ! C'est traître.

Outre sa passion pour la peinture, il savait concocter les plus inattendus des cocktails.

Elle en goûta une gorgée.

— Je ne peux pas refuser, dit-elle. On dirait des pétales de roses macérés dans du gin.

— Sapristi ! Tu as trouvé du premier coup !

Elle rit et le suivit dans le living où se pressaient tous ses amis. Elle savait qu'ils comptaient danser au moins jusqu'à minuit, donner leur avis sur le choix de ses bagages, l'aider à boucler ses valises, nettoyer la cuisine et ranger la vaisselle. Elle ne serait pas couchée avant deux heures du matin. Mais la perspective d'une soirée animée et bon enfant la réjouissait.

Elle eut cependant envie de s'isoler un instant, et se glissa sur le balcon pour contempler les couleurs vives du soleil couchant sur l'océan. Malgré la présence de ses amis, elle ne pouvait s'empêcher d'évoquer, avec un certain pincement au cœur, la recommandation d'Iris de se trouver rapidement un mari.

Elle but une gorgée de la boisson exotique de Greg et s'installa dans le fauteuil à bascule ; le peintre vint bientôt la rejoindre. Elle était sa confidente et il courait se réfugier chez elle quand les matrones de Californie du Sud se faisaient trop pressantes pour présenter leurs filles à ce charmant garçon. Long, fin, d'une exceptionnelle beauté, il était la coqueluche de ces dames, mais seule Erica trouvait grâce à ses yeux. Il arrivait d'ailleurs fréquemment que les rôles fussent inversés et que ce fût lui qui devînt le conseiller. Ce soir, il avait deviné son état d'esprit ; il demeura silencieux auprès d'elle.

Les pensées d'Erica la ramenaient de nouveau au passé, à ce mariage qui semblait si bien parti : deux jeunes gens, aux goûts semblables et aux objectifs communs, se lançaient dans une aventure où tout paraissait devoir leur sourire.

La vie à l'Institut psychiatrique Jackson se révéla vite oppressante. La concurrence, féroce, obligeait à reléguer au second plan toute autre préoccupation. Erica se consacra entièrement à son travail. Elle passait des heures en séminaires ou à la bibliothèque, bien au-delà de son temps de recherche.

Larry ne réagissait pas de la même façon. Là, comme à l'université, il en faisait juste assez pour soutenir sa réputation et sa carrière. Il se montrait toujours aussi fantasque mais, ses quelques éclairs de génie suffisaient à combler son indifférence. Les patients adoraient le beau Dr McCrae ; le personnel lui enviait son charme, l'aisance avec laquelle il menait sa vie et Larry ne détestait pas monopoliser les attentions.

Avec une acuité toujours aussi douloureuse, Erica se souvenait du jour où elle avait trouvé son mari dans les bras d'une ravissante infirmière. Il ne parut pas accorder beaucoup d'importance à l'incident, prétendant qu'il ne fallait en tirer aucune conclusion mais, pour la jeune femme, ce fut le premier accroc à leur mariage.

Elle s'était efforcée de croire que tout n'était pas perdu ; mais, petit à petit, elle se rendit compte de son erreur.

Larry restait visiblement en très bons termes avec la jeune infirmière. Erica comprit qu'elle n'arriverait jamais à le changer. Lorsqu'elle tenta de lui parler, il nia qu'il y eût un problème.

Erica se rappela dès lors pourquoi elle avait tant cherché à l'éviter au début ; il se contentait d'émotions superficielles, de sensations qu'il ne cherchait jamais à approfondir. En son for intérieur, elle avait toujours su qu'il en serait ainsi mais, malgré tous les judicieux conseils qu'elle prodiguait à ses proches, Erica n'avait pu s'empêcher de tomber amoureuse.

Mais cet amour n'était pas mérité. Blessée et désespérée de sentir son mariage se briser, elle se jeta à corps perdu dans le travail. Pourtant, son chagrin demeura... Elle finit alors par demander le divorce et Iris la fit venir en Californie où un poste l'attendait, disait-elle. Ce n'était pas son genre de fuir les problèmes mais, pour une fois, Erica décida qu'il lui fallait mettre de la distance entre l'Institut Jackson et elle.

Larry épousa la jeune infirmière. Quelques mois plus tard, Erica apprit par des amis communs qu'il avait recommencé à papillonner.

Cette fois, Larry faisait partie d'un passé révolu. Elle pensait à lui sans amertume mais avec une certaine nostalgie en imaginant ce qu'aurait pu être leur vie si seulement il avait voulu faire quelques efforts...

Le ciel s'obscurcissait. Greg se pencha sur son fauteuil.

— Alors, finalement, que penses-tu de mon petit cocktail ?

— Délicieux.

Elle lui prit la main dans l'obscurité.

— Alors cesse de soupirer comme une âme en peine.

— Je soupirais sur le passé.

Psychologue, elle n'ignorait pas que la mémoire vous impose parfois de ces trahisons qui vous font ressentir les souvenirs comme des blessures vives et actuelles. Mais, après avoir tant entendu les autres se confier à elle, elle éprouvait un réel soulagement à pouvoir à son tour laisser parler son cœur. Cette soirée s'y prêtait particulièrement et Greg recevrait généreusement toutes ses mélancolies.

— Je ne puis m'empêcher de penser à ces dernières années. Je crois que c'est à cause d'Iris.

Greg regarda autour de lui, surpris.

Elle essaya de s'expliquer.

— Ma mère m'a offert ce voyage parce que j'ai trop d'amis et pas de mari. Elle a décidé que je rencontrerais l'homme de ma vie au club Capricorn.

Greg avait vendu plusieurs tableaux à Iris et la connaissait encore mieux par ses choix que par ce que lui en avait dit sa fille.

— Je me doutais qu'elle en arriverait là, un jour ou l'autre.

— Elle paraît convaincue. Je me sens presque obligée de revenir accompagnée, rien que pour lui faire plaisir.

Il se mit à rire.

— En tant qu'auteur de *De Femme à Homme*, tu sauras comment t'y prendre. Mais ce sera une autre histoire pour trouver celui qui te convient vraiment. Et si tu cherches, tu passeras à côté.

— Tu as raison. D'ailleurs, je ne le rencontrerai peut-être jamais.

Elle secoua la tête en riant soudain.

— Je me plains d'être seule sans raison. Je suis très bien en tête à tête avec moi-même !

— Bravo !

— Et rien ne dit que l'homme parfait m'amuserait beaucoup !

— Il t'ennuierait à mourir !

Il se leva, lui tendit la main pour l'aider à se redresser.

— Alors va à ce club sans arrière-pensée.

Il l'amena vers le living.

— Viens danser. Pour le reste, comme disait Scarlett O'Hara, on verra demain...

— Au club Capricorn...

Elle avait hâte de partir.

# Chapitre 3

Le vent s'engouffra par la porte ouverte du bungalow, fit voler le courrier et les journaux, et les éparpilla sur le sol carrelé de l'entrée.

Erica se pencha pour les ramasser et ne put réprimer un sourire en pensant qu'il ne lui avait pas fallu deux jours pour constater combien la brochure du club Capricorn avait dit vrai.

Pourtant, lorsque Iris la lui avait montrée pour la première fois, elle n'y avait pas cru. Il était situé sur l'île de La Quinta, la plus occidentale des Leeward Caraïbes et, toujours selon la brochure, luxuriante et protégée comme un coin de paradis terrestre. Les photos lui avaient paru trop parfaites et elle avait du mal à croire que les promoteurs aient pu laisser la nature intacte, comme ils le proclamaient.

Mais ce qui l'avait amusée le plus, c'était la recommandation qui paraissait presque à toutes les pages :

« N'utilisez entre vous que vos prénoms. Ne gâchez pas votre nouvelle vie en racontant l'ancienne. Laissez-nous rêver et faites de même. »

Iris en était restée incrédule.

— Je savais que vous recherchiez l'évasion, mais à ce point-là, c'est ridicule !

Elle sous-entendait qu'un homme bien élevé saurait toujours dire son nom.

Dans le même ordre d'idées, les professions ne seraient pas révélées et personne ne parlerait travail de toutes ses vacances ; incrédule, Iris s'était demandé comment passez quinze jours sans aborder un point si important.

Il s'avéra pourtant que c'était une excellente idée, vite adoptée par chacun. Les présidents de sociétés, les médecins, les avocats perdirent l'habitude de commencer leurs phrases par : mon entreprise... mes patients... ma clientèle... Ils se pliaient sans peine à la philosophie du club qui ne pouvait fonctionner que si chacun y mettait du sien.

Et le résultat ne se faisait pas attendre. Ceux qui revenaient d'une année sur l'autre étaient certains de toujours vivre des vacances exceptionnelles. D'un seul coup, ils laissaient passer le temps et se mettaient à écouter leur fantaisie, comme des enfants. Ils repartaient frais et dispos, prêts à reprendre le travail qu'ils avaient laissé derrière eux avec une vitalité dont ils s'étonnaient.

Erica observait, fascinée : et elle fut bientôt enthousiasmée par cette organisation. Chacun avait à sa disposition toutes sortes de techniques de relaxation sans jamais être tenu d'y recourir. L'on pouvait agir selon ses désirs sur cette île à peu près vierge de toute trace de civilisation, hors des limites du club.

Décidément heureuse d'avoir pu venir, elle

déposa les papiers sur la table, prit une serviette et se rendit sur la plage.

— Ça marche ! s'exclama Sally Carillo dix minutes plus tard. Aussi bizarre que cela paraisse, je n'ai pas pensé à New York depuis au moins une heure !

Erica et Sally s'étaient rencontrées sur le vol en provenance de Miami, deux jours plus tôt, et cette dernière avait aussitôt enfreint les règles du club en annonçant son nom et son métier de fleuriste.

— Je n'ai jamais su garder un secret, avait-elle avoué. Mais je promets de ne pas parler travail. Encore qu'il y ait tellement de choses agréables à dire sur les fleurs !

Elle chassa les boucles brunes qui lui tombaient sur le front et s'assit sur le sable. Avec un sourire satisfait, elle contemplait la vue qui s'offrait à elle : la plage blanche et presque aveuglante, la mer turquoise et le ciel d'un bleu profond.

— Mon parasol s'est envolé deux fois ce matin avant que vous n'arriviez, observa-t-elle. Sinon tout est parfait. Je passerais ma vie ici, à ne rien faire.

Erica se faisait bronzer le dos et avait détaché le haut de son maillot pour éviter une marque.

— Je reconnais, dit-elle, que j'ai laissé mes habitudes à des années-lumière d'ici.

— Le monde « réel » n'existe plus, renchérit Sally. Et j'en suis enchantée.

— Je m'habitue même à tout payer avec des perles.

Elle remua son poignet orné d'un bracelet en plastique multicolore qui lui servait à régler ses menues dépenses à l'intérieur du club.

— Bien sûr, une perle contre une consommation au bar, cela tient du merveilleux.

Engourdies par le bien-être, elles ne dirent bientôt plus rien, se laissant aller au doux sommeil qui les gagnait.

— Là, Erica ! Le voilà !

La jeune femme tressaillit à l'exclamation soudaine de son amie.

— Regardez-le, le grand Viking blond dont je vous parlais.

Elle souleva une paupière paresseuse.

— Sally ! Un Viking est par nature grand et blond. Mon dos ne rougit pas trop ?

— Non, répliqua la fleuriste d'un ton absent... Vous savez, je me suis heurtée à lui, hier soir devant le dancing, pendant que vous assistiez à cette stupide discussion sur les rêves...

— Pas stupide, reprit Erica tout en s'efforçant de rester dans son nirvana. Intéressante, au contraire.

— Il s'est assis au bar, poursuivait Sally l'œil encore ébloui, et la seule place libre que j'aie trouvée était justement à côté de lui. Il n'a rien dit, moi non plus et je me suis fait offrir un verre par un autre homme qui avait l'air plus bavard, mais je n'en ai pas oublié mon Viking pour autant.

Erica finit par prêter quelque attention à la longue histoire qui lui était racontée.

— Finalement, je suis retournée vers lui et je lui ai demandé s'il aimait cette ambiance et savez-vous ce qu'il m'a répondu ? « Non ». C'est tout. Et puis, d'autres gens ont ensuite essayé de lui parler, sans plus de résultat.

— Charmant personnage !

— Attendez, Erica. Il est superbe. Beaucoup plus intéressant que tous les autres hommes avec leurs plaisanteries oiseuses et leurs coups de soleil !

Elle chaussa ses lunettes fuchsia pour s'assurer qu'il était toujours là et toujours superbe.

— Il est tellement distant... et solitaire. Et sûr de lui ! Je me demande si même vous, belle comme vous l'êtes, sauriez attirer son attention.

— Bravo ! Vous avez gagné, répliqua la jeune femme en se hissant sur un coude. Laissez-moi contempler de mes propres yeux ce phénomène.

Du regard, elle parcourut l'étendue de sable baigné de soleil. Un groupe de baigneurs jouait au volley-ball en s'éclaboussant à grands cris ; sur les rochers, quelques amateurs de coquillages s'activaient courageusement et, seul à l'ombre d'un palmier, se tenait le Viking. Sally n'avait pas exagéré.

Très grand, blond, la barbe rase et le cheveu en bataille, il évoquait un animal sauvage, un félin de bronze et de soie. Il se pencha pour attirer à lui une chaise et elle vit les longs muscles de son dos se dessiner sous sa peau basanée. A la fois

40

svelte et puissant. Et il dégageait en même temps une sorte d'intellectualisme qui tranchait net avec son athlétique stature.

Sally remarqua immédiatement la fascination que cet homme exerçait sur Erica. Elle avait à la fois gagné son pari et perdu son Viking. Erica était l'unique personne de tout le club Capricorn qui eût une petite chance de briser la bulle où il s'était enfermé.

— Pas mal, n'est-ce pas ?

Pas de réponse ! Erica était trop absorbée par l'observation de cet homme qui pliait lentement sa chaise, jusqu'à en obtenir exactement la position qu'il voulait, puis s'installait, visiblement plongé dans ses pensées. Elle comprit qu'il enfreignait les lois du club en songeant à ce qu'il avait laissé derrière lui.

— Croyez-vous que vous saurez le sortir de son mutisme ? railla Sally.

— J'en suis sûre.

Elle imaginait déjà une demi-douzaine d'approches différentes. N'avait-elle pas écrit *De Femme à Homme*, juste pour ce genre de situation ?

— Il suffit d'éveiller sa curiosité et de poser des questions à double sens.

Elle hésita à poursuivre devant l'air interloqué de la fleuriste.

— Je veux dire des questions auxquelles on ne puisse se contenter de répondre par un seul mot.

— Il doit quand même être très rodé à ce

genre de sport. Je suis certaine qu'il va vous donner du fil à retordre.

Les atouts d'Erica étaient trop évidents pour qu'elle risque de se ridiculiser totalement mais, quand même, elle aurait du mal avec le Viking.

— Je parie un rhum canari qu'il vous faudra plus d'une journée !

Le cocktail vedette du club, trop suave au goût d'Erica, ne la tentait pas beaucoup, mais elle soutint le défi.

— Disons un *margarita* pour moi, et je relève le gant.

Il lui fallut plus d'une heure pour l'emporter, mais ce fut une heure très agréable dès qu'Erica franchit le seuil de son bungalow pour se changer. Elle enfila le fameux bikini mauve qu'elle n'avait pas encore eu le courage de porter, défit ses cheveux pour les laisser retomber en cascade sur ses épaules et se regarda dans le miroir. Son bronzage s'arrêtait juste au-dessus du slip, formant une fine ceinture d'ivoire qui attirait immédiatement le regard. Elle décida, pour compenser, d'arborer un air d'assurance tranquille et prit, sous sa serviette, un bloc de papier et un crayon. Sally la vit, éberluée, se diriger vers un groupe de vacanciers, comme si elle était chargée de les interviewer.

Il était midi et chacun s'étalait paresseusement sur la plage où flottaient des senteurs d'huiles solaires parfumées à la noix de coco. Le mystérieux Viking était maintenant entouré de toutes parts.

Il ne la regarda pas qui passait et repassait devant lui, posant des questions à ses voisins mais, lorsque des éclats de rire fusèrent, il daigna enfin lever les yeux.

Il n'aurait pu dire si Erica le voyait ou non. Elle était tournée dans sa direction mais paraissait écouter les réponses du groupe, d'épaisses lunettes noires sur le nez. Il prit un livre et, lorsqu'elle se leva pour venir dans sa direction, il n'eut pas la moindre réaction.

A un mètre de lui, elle s'arrêta. Son ombre vint s'étirer sur les pages blanches. Il dut alors sortir de son immobilisme pour poser sur elle un regard courroucé.

Elle avait remonté ses lunettes sur ses cheveux et le contemplait. Prunelle noisette de biche, contre prunelle bleu acier : ils se défiaient sans détour.

— Je suis Erica, dit-elle simplement, et je mène une enquête sur les hôtes du club. Puis-je vous interroger ?

— Pourquoi pas, répondit-il, d'un ton rogue.

— J'aimerais savoir trois choses...

Le voyant froncer les sourcils, elle eut un sourire malicieux et formula autrement sa demande.

— Quelles sont les trois choses que vous n'aimez pas au club Capricorn ?

Il marqua un temps de surprise puis sourit d'un air entendu qui illumina le bleu de ses yeux.

— Je n'aurai pas de mal à vous répondre.

Il avait une voix basse et sans accent, articulant soigneusement ses mots, une voix d'homme cultivé, pensa-t-elle immédiatement.

— Une certaine figure de yoga appelée le salut au soleil, l'amabilité forcée du personnel, les niaiseries soi-disant psychologiques qui devraient, paraît-il, nous guérir de tous nos maux et...

Elle dressa un doigt pour l'interrompre dans sa tirade avant qu'il n'attaquât un peu plus sa profession. Ravalant la réponse qui lui brûlait les lèvres, elle dit lentement :

— Je ne vous en demande pas plus.

— J'ai bien d'autres récriminations à formuler ! De quoi occuper une journée entière de leur psychologie de fête foraine !

— Si cela vous déplaît tant, dit-elle sérieusement, pourquoi être venu ?

— Je me dois d'avouer, bien à regret, que j'étais contraint et forcé de venir ici. Vous m'excuserez pour ma franchise, mais j'ai l'habitude de dire ce que je pense.

— Je vois. J'ai toujours admiré cette qualité.

D'un geste léger elle chassa une mèche sur son épaule et ne put s'empêcher de remarquer le regard du Viking posé sur ses longues jambes. Du coin de l'œil, elle repéra Sally qui attendait sagement dans son fauteuil. C'est le moment ou jamais, pensa-t-elle, en nouant d'un air innocent l'attache un peu desserrée de son bikini. Puis elle attendit...

Ce qui se passa alors ne pouvait tout à fait s'appeler victoire mais avait le mérite d'y préluder. Il s'étendit sur sa serviette, désigna sa chaise vide.

— Asseyez-vous, dit-il.

C'était presque un ordre mais elle avait marqué un point.

Elle ne se fit pas prier, tandis que, dans le lointain, Sally baissait les bras en signe de défaite, avant de s'en aller jouer au ping-pong avec un animateur.

— Je m'appelle Jess, Jess In...

— Non, non ! Vous ne devez pas révéler votre nom de famille.

Il se racla la gorge.

— Ajoutez donc ceci à votre liste et dites-moi, à votre tour, ce qui vous déplaît dans ce club.

— En fait, rien, reconnut-elle. Tout est conforme à la brochure. L'île est belle, le temps idéal, ma vie quotidienne est prise en main et...

Elle ne put s'empêcher de le regarder à ce moment précis ; il l'écoutait, un sourire ironique aux lèvres. Elle lui tendait une perche qu'il s'abstint de saisir... Ce n'était décidément pas un homme comme les autres.

— J'imagine, reprit-il, que tout le monde a répondu positivement à votre enquête.

— A une exception près.

Il jeta un coup d'œil sur les pages blanches de son carnet.

— Est-ce pour cette raison que vous n'avez pas eu besoin de prendre de notes ?

Elle se mit à rire.

— Bravo ! Vous avez compris que je n'étais chargée d'aucune enquête. C'était une plaisanterie.

Il haussa les sourcils, sans ajouter le moindre commentaire, attendant qu'elle s'expliquât.

— J'avais fait un pari avec une amie.

Toujours pas de réaction. Embarrassée, elle se jeta à l'eau :

— J'ai parié un *margarita* que je parviendrais à vous arracher plus de deux mots. Ce que personne n'avait pu faire jusqu'à présent.

Il finit par rire, d'un rire chaleureux d'autant plus séduisant qu'elle le soupçonnait d'être rare.

— Vous avez gagné ! reconnut-il.

— De justesse.

Elle n'avait en effet appris que peu de chose sur lui et elle désirait aller plus loin.

— Vraiment, rien ne vous attire dans ce club ?

— Si. Les enquêtrices aux longues jambes.

Il marqua un temps, les yeux dans le vague, et finit par ajouter :

— Et les jolis voiliers qui sont à louer ; bien que d'habitude, je navigue sur de grands ketchs. Le mien est un quinze mètres, poursuivit-il, toute modestie oubliée.

— Personne ne peut s'ennuyer au club Capricorn.

— Sachez que je me plairai beaucoup mieux dans la petite île où je compte me rendre demain !

Il indiqua du doigt un petit point perdu au milieu de la mer turquoise.

Elle attendit l'invitation qui, selon elle, devait s'ensuivre ; elle arriva, en effet, mais sans être formulée de la façon espérée...

— Je vais louer ce bateau maintenant. Dois-je ou non prévoir un passager ?

Elle avait gagné son pari et pouvait fort bien s'en tenir là. Elle s'étonna donc en s'entendant répondre avec empressement :

— Une passagère, bien sûr !

Il ne fit aucun commentaire et se dirigea vers le parc de location. Elle le regarda s'éloigner tout en se demandant si elle ne cherchait pas à tenter le diable en acceptant d'embarquer avec l'irascible ermite.

Il revint peu après, suivi d'un indigène pieds nus qui sautillait sur le sable brûlant, portant sur la tête une caisse pleine d'ananas et une machette à la taille. Quand, à la suite de Jess, il s'arrêta devant elle, ce fut pour s'enterrer tout d'abord les pieds dans le sable, puis déposer son fardeau et en tirer un fruit qu'il se mit en devoir de peler avec une étonnante dextérité.

— Vous allez vous régaler ! dit Jess.

La jeune femme se demanda comment il pouvait en être si sûr mais le sourire de ses yeux bleus l'incita à ne pas poser ce genre de question. D'ailleurs, il avait raison : l'ananas *al fresco* était savoureux.

— Vous pourrez toujours ajouter un point dans la colonne positive de votre enquête imaginaire, dit-il, en s'asseyant à côté d'elle sur une chaise qui venait de se libérer.

Il accepta le morceau qu'elle lui tendait et le mit tout entier dans sa bouche ; ses yeux se plissèrent à nouveau et elle se demanda quel visage il pouvait avoir sans barbe. Elle lui proposa une nouvelle tranche et, en s'approchant pour l'attraper, il lui glissa un bras autour de l'épaule et l'attira à lui. Décontenancée, elle se rendit bientôt compte qu'il ne cherchait qu'à atteindre sa serviette pour lui essuyer le menton qui ruisselait de jus frais. Elle rit doucement de ce geste inattendu tandis qu'il continuait, un peu machinalement, en descendant vers la poitrine. Sans dire un mot, il lui passa la serviette autour du cou puis s'arrêta, la regarda.

Elle se taisait, fascinée par ses yeux si intensément bleus qui la fixaient d'un air interrogateur. Elle prit une longue inspiration, s'humecta les lèvres, à la recherche du goût suave de l'ananas ; elle s'aperçut alors qu'il contemplait maintenant sa bouche. Elle eut un bref mouvement de recul, comme pour rompre le charme.

— Merci, dit-elle.

— Ce n'était rien.

Il déposa la serviette sur son dossier, reprit son livre et se mit à lire, tranquillement.

Elle en resta la bouche ouverte, saisie par tant de contraste dans ses attitudes. Quand il semblait la provoquer, il se détournait d'elle, puis recommençait de plus belle pour finalement se conduire comme si elle n'existait pas. Elle le vit, plongé dans un recueil d'histoire médiévale, et s'imagina qu'il était peut-être professeur ; sans doute plus étourdi qu'impoli ; un peu vieux garçon, tout simplement.

Il parut soudain reprendre conscience de sa présence, marqua une légère hésitation :

— J'espère que cela ne vous ennuie pas, si je lis ?

— Pas du tout.

Elle ne put s'empêcher d'ajouter :

— J'ai d'ailleurs envie de m'offrir une petite sieste... après une dernière question pour mon enquête.

— Votre enquête imaginaire ?

Elle sourit.

— Seriez-vous, par hasard, professeur d'histoire ?

Il secoua la tête.

— Défense de parler du travail.

— Je sais. Mais ma curiosité est la plus forte.

Elle disait vrai, bien qu'elle ne s'attendît pas vraiment à ce qu'il répondît. Pour se donner contenance, elle ferma les yeux et, en l'entendant tourner une page, se rendit compte qu'il était revenu à sa lecture.

Elle voyait cet homme comme un véritable défi. C'était la raison pour laquelle elle avait accepté de l'accompagner en bateau, le lendemain. Ou, tout au moins, l'une des raisons. Il était beau, exceptionnellement beau, d'une intelligence brillante et il avait un sens de l'humour plutôt déroutant. Elle éprouvait du mal à bien le cerner. Il avait reçu une bonne éducation, cela se voyait d'emblée à sa façon de parler, toujours précise. Et puis il y avait cette réserve, cette distance, qu'elle ne pouvait qu'apprécier. Il représentait un mystère qui subsisterait, même si elle parvenait à connaître son nom et son métier.

Elle soupira et souleva une paupière. Il ne lisait plus, il la regardait.

— Actrice ? Mannequin ?

L'œil bleu s'était nuancé d'une lueur moqueuse.

Elle ne se priva pas de le taquiner à son tour :

— Vous ne le saurez jamais. Je tiens à me conformer au règlement !

Il haussa les épaules et se tut. A l'évidence, il ne jouait plus. Erica ne détestait pas cette situation. Ni passé ni futur, simplement le présent. Elle se prit à s'interroger sur la réaction de son compagnon si elle lui avait révélé que, non seulement elle approuvait les méthodes psychologiques du club, mais qu'elle en avait fait sa profession. Il était préférable — ô combien — de s'en tenir aux prescriptions. D'ailleurs, jamais elle n'avait eu l'intention de passer outre ; deux semaines, en toute liberté : quel plaisir ! Et elle commençait à croire que, malgré ses petites manies, Jess serait un compagnon idéal pour cette parenthèse. Ce n'était pas un homme pour l'avenir mais, actuellement, il l'intriguait et elle adorait cela.

Au moins savait-il occuper ses pensées. La

barbe pouvait trahir le physicien ; la concentration, l'ingénieur, mais elle persistait à l'imaginer en professeur. De toute façon, elle ne connaîtrait jamais la réponse.

Si elle ferma de nouveau les yeux, Jess ne reprit pas son livre : il l'observait, le visage offert au soleil, les lèvres à demi ouvertes. Ses cheveux bruns prenaient dans la lumière des reflets cuivrés et sa peau brillait encore de l'huile qu'elle y avait appliquée et qui exhalait une odeur suave de fleur tropicale.

Il revint à sa lecture et, sans la regarder, lança d'une voix tranquille :

— Où dînez-vous, ce soir ?

Elle tourna la tête dans sa direction, comme si elle n'avait pas compris l'invitation.

— Ce soir, répéta-t-il. Le dîner...

Une fois encore elle accepta. Parce que le soleil et les embruns salés annihilaient sa volonté autant que la séduction de cet homme.

— Avec plaisir, dit-elle d'un ton endormi. Mais promettez-moi de me réveiller à temps.

Il s'étonna de ce qu'elle parût si détendue à côté de lui, alors que lui-même éprouvait tant de difficulté à garder sa sérénité.

Erica s'habilla pour le soir. Contrairement à ce qu'elle avait dit à sa mère, elle avait apporté plusieurs de ces robes bain de soleil qu'elle aimait tant ; celle-ci était multicolore avec une dominante rouge. Elle compléta l'image exotique que lui renvoyait son miroir par une fleur

51

d'hibiscus cueillie à l'entrée de son bungalow et qu'elle piqua derrière l'oreille. Elle enfila des sandales à talons aiguilles, heureuse que, pour une fois, son compagnon ne paraisse pas plus petit qu'elle si elle se promenait autrement qu'en chaussures plates.

Elle sortit et ferma la porte derrière elle, en se demandant ce qu'allait lui réserver cette soirée. Elle descendit les marches de la terrasse. Tous les bungalows, parsemés sous les palmiers, étaient divisés en quatre appartements, comprenant chacun leur entrée et leur terrasse particulières. Celui d'Erica se trouvait au premier étage et donnait sur la plage, après une allée bordée de fleurs et de gazon. A l'horizon, le couchant déployait ses splendides couleurs sur une mer qui prenait des tons d'encre. Les vacances commençaient bien. Si elle avait cru tout savoir au club Capricorn, elle ignorait décidément ce que lui réservait cette soirée et son impatience se mua soudain en jubilation.

Il l'attendait au bar, tout seul, ce qui ne l'étonna pas le moins du monde. Elle ralentit pour mieux contempler la scène : un homme isolé au milieu de la foule ; un piano lointain, qui égrenait les notes d'une ancienne chanson d'amour, tandis qu'au plafond un immense ventilateur brassait l'air tropical.

Elle poussa les portes vitrées ; elle avait l'impression de tourner un film des années trente avec Jess pour héros. Il restait adossé au bar, un verre de gin à la main. Il préférait sans doute, aux rhums canaris, les cocktails tropicaux servis avec une ombrelle en papier, piquée dans une tranche de fruit.

Elle s'avança dans sa direction, tandis que subsistait l'impression de dépaysement. L'assistance paraissait silencieuse, ou était-ce elle qui ne remarquait pas le bruit alentour ? Elle s'arrêta à quelques pas de lui et crut le voir sourire. Elle se demanda soudain pourquoi il l'avait invitée à dîner. N'était-ce pas pure politesse ? Mais ses yeux qui la détaillaient des pieds à la tête, sans la moindre retenue, la rassurèrent vite.

Aussitôt lui revinrent en mémoire les admonestations maternelles au sujet des hommes dignes d'être fréquentés. Iris n'apprécierait sûrement pas la situation. Parmi tous les hôtes du club, riches et puissants, elle choisissait un simple professeur, barbu et irascible. Trop maigre, déclarerait aussitôt sa mère, pour être riche.

Erica prit le verre que lui tendait Jess et le remercia d'un sourire. Elle se jura de ne plus penser qu'à elle-même.

La nouvelle critique qu'il formula contre le club la ravit.

— Je n'ai pas l'intention de me mêler à un groupe. Je veux, au contraire, nous trouver une table tranquille, commença-t-il. Hier soir, j'étais mêlé à des gens qui revenaient pour la troisième fois. Quel ennui ! Ils ont déjà leurs habitudes.

Elle ne le voyait que trop mais se mordit les lèvres pour ne pas faire de commentaires tandis qu'il hélait un garçon et lui demandait un coin isolé où ils pourraient bavarder en toute quiétude. Ils s'assirent l'un en face de l'autre, les yeux illuminés par la flamme vacillante d'une bougie.

— Je me demande si j'ai eu raison, dit-il soudain l'air songeur. Nous voilà tous deux à la même table et nous n'avons rien à nous dire.

— Rien ?

— Nous ne pouvons parler ni de nos métiers ni de notre vie qui amènerait immanquablement des indices compromettants. Je vous ai déjà raconté ce que je n'aimais pas dans ce club. Quel thème aborder encore ? Je reconnais que je ne suis pas très doué pour la conversation.

Instinctivement, Erica tendit la main et la posa sur la sienne.

— Moi je le suis, mais je n'aime pas beaucoup cela. Parlons de quelque chose d'important. De votre bateau, par exemple.

Elle devinait qu'il avait mille sujets passionnants à exposer. Il était juste un peu rouillé, comme l'homme en fer-blanc du *Magicien d'Oz*.

Il commença par lui raconter qu'il avait bâti lui-même son bateau, menuiserie et voiles comprises.

— L'intérieur est en teck et la coque est bleue.

— Et les voiles, blanches ?

— Non, brunes. Quand elles sont gonflées de vent, elles deviennent magnifiques, de la couleur de vos cheveux au soleil.

De sa part, le compliment la surprit. Mais,

54

déjà, il parlait de la course d'Ensenada et la jeune femme tressaillit : ainsi il habitait la Californie du Sud ! Elle avait parcouru tout ce chemin pour rencontrer quelqu'un de sa région. Elle s'abstint de le lui dire, parce qu'elle voulait que ces deux semaines demeurent une parenthèse dans sa vie.

Il répondait à ses questions sans donner de détails comme s'il s'efforçait d'être poli sans jamais transgresser une règle de discrétion à laquelle il semblait adhérer obstinément. Les silences étaient fréquents. Aussi l'écoutait-elle avec une attention particulière, afin de ne pas manquer la moindre parole.

Ils abordèrent d'autres sujets, certains, rapidement, comme le cinéma où il n'était pas allé depuis trois ans et les livres ; il ne lisait pas de romans, elle ne lisait pas d'histoire. Mais, à ces différences près, ils se ressemblaient sur bien des points. Par exemple, ils aimaient tous deux la musique et particulièrement Bach. Jess avait même apporté un lecteur de cassettes stéréophonique dans ses bagages.

— Je puis me passer de beaucoup de choses mais pas de musique.

Ils en étaient arrivés au café et le restaurant se vidait de ses hôtes. Ils sortirent sur la terrasse où s'attardaient encore quelques dîneurs dont Sally, accompagnée de deux hommes. Erica s'arrêta à sa table mais, à peine les présentations faites, Jess s'éloignait déjà sans l'attendre. Elle le vit descendre les marches avant de se retourner. Elle n'en resta pas moins quelques minutes de plus à la table de Sally.

Jess ne dit rien quand elle le rejoignit. Ils traversèrent en silence le parc et arrivèrent tout naturellement au bungalow de la jeune femme.

— Je vous avais avertie que je n'étais pas doué pour la conversation ! lança-t-il soudain.

— J'avais compris, mais il y a tout de même un minimum de courtoisie à respecter.

— Tout dépend avec qui.

Il sourit.

— Je sais parfois faire des efforts.

Elle s'arrêta sur le seuil, le regarda.

— Vous devriez essayer plus souvent, dit-elle.

Mais elle n'y mit pas grande conviction, toute colère oubliée ; au fond, elle se moquait bien qu'il ait refusé de bavarder avec Sally Carillo.

— C'est à vous de décider, ajouta-t-elle.

— Pas de sermon ?

Il devait avoir l'habitude de se faire réprimander pour son impolitesse.

— Ce n'est pas mon genre !

En même temps elle comprenait qu'il ne cherchait pas spécialement à susciter la sympathie de son entourage.

Ils montèrent ensemble et atteignirent sa porte. Elle n'avait pas allumé la lampe du dehors et seule la lune les éclairait. Dans la lumière blafarde, il voyait briller ses yeux sombres et sa chevelure brune était comme un halo obscur autour de son visage. Il caressa ses cheveux couleur de nuit, les fit lentement glisser entre ses doigts comme pour y déceler un impalpable mystère. Et ce geste, presque timide, la bouleversa.

Quand il parla, ce fut d'une voix sourde, sortie du fond de son âme :

— Et quel est votre genre, Erica ?

— Il faudra que vous le trouviez tout seul.

Elle aurait voulu exprimer plus de gravité et elle recula comme pour suivre des yeux la vague de tendresse qui venait de s'échapper dans la nuit.

Jess ne la laissa pas partir ; sa main se posa sur sa taille et elle s'immobilisa au contact de cette paume tiède sur sa robe de coton. Autour d'eux flottaient des parfums d'hibiscus et de lauriers-roses, vibrants comme leurs couleurs au soleil. Les mots n'étaient plus nécessaires sous la caresse de la lune, dans ces arômes enivrants qui la faisaient frissonner de délices.

Jess se pencha vers elle ; elle crut qu'il allait l'embrasser et ferma les yeux.

C'était un homme imprévisible. Lorsque ses lèvres se posèrent sur sa tempe puis sur ses paupières baissées, elle crispa ses mains sur ses bras, incapable de lui donner une autre réponse. Elle redevenait petite fille, inquiète de savoir ce qui allait ensuite se produire.

Il l'attira contre lui, la serra si bien qu'elle perçut le battement de son cœur contre sa poitrine. Du bout des lèvres, il continuait à effleurer la peau délicate de son cou. Elle renversa la tête en arrière et ses cheveux tombèrent en cascade dans son dos. Il l'enveloppa de ses bras, des bras qui paraissaient impatients de l'enlacer enfin.

La peau déjà sensibilisée par le soleil et l'air marin, Erica n'en sentait que mieux la barbe douce qui se promenait sur ses épaules nues. Plus d'hésitation ni de timidité chez cet homme qui pouvait manifester autant de délicatesse que de rudesse, quand l'envie l'en prenait.

Quand il embrassa sa bouche, ce fut avec la tendre précaution qu'un botaniste peut accorder aux pétales d'une fleur nouvelle, comme s'il s'appliquait à mieux faire sa connaissance, sans la brusquer, sans l'effaroucher. Erica le sentait frémir comme elle tandis qu'il donnait autant qu'il prenait, voulant avant tout partager les mêmes émotions, attentif à la moindre de ses réactions.

Elle n'avait jamais rien éprouvé de semblable et se disait dans son vertige qu'elle était prête à abandonner toute résistance...

Il se détacha brusquement d'elle.

— Maintenant, je connais votre genre, Erica.

Il la regarda dans les yeux.

— Mais moi je n'en ai pas.

Elle ne put réprimer un sourire.

— Je ne suis pas d'accord !

— Aucun genre, insista-t-il en lui caressant la joue où venait de naître une fossette. Simplement, je sais ce que je veux.

Il l'embrassa de nouveau, la serra encore contre lui avant de s'écarter doucement.

58

— A demain, dit-il. Je vous attendrai à dix heures, sur la plage.

— Entendu, répondit-elle.

Elle le regarda redescendre les marches et disparaître entre les ombres profondes des palmiers.

Elle se tourna, introduisit lentement la clef dans la serrure, les lèvres encore empreintes du baiser qu'il y avait déposé. Oui, cet homme savait ce qu'il voulait. Ce qu'elle avait tout d'abord pris pour de la timidité n'était qu'une façon de la séduire, de la réduire à sa merci jusqu'à ce qu'elle en arrive presque à quémander un baiser. Elle en restait le cœur battant. Quel homme étrange ! Et dangereux ? Elle repoussa aussitôt cette idée. Elle était en vacances. Elle n'avait pas besoin de réfléchir ni d'analyser ; mais elle mourait d'impatience de connaître la suite et trouvait ce tourment exquis.

# Chapitre 4

L'île paraissait déserte et se prélassait sous le soleil de midi. Jess manœuvra entre les récifs et jeta l'ancre à quelques mètres de la plage. Voyant qu'elle aurait pied, Erica descendit du bateau avec un panier de pique-nique qu'elle avait fait préparer au club. Il pesait lourd et elle l'espérait plein de mets exotiques. Elle mourait de faim, comme chaque fois qu'elle se trouvait sous le soleil au bord de la mer. Elle déposa son fardeau sur le sable sec et jeta un coup d'œil par-dessus son épaule. Dans un mouvement souple pour mieux avancer dans l'eau, Jess la rejoignait, une montagne de serviettes dans les bras. Plutôt qu'au Viking de Sally, elle trouva qu'il ressemblait à un dieu grec avec ces paillettes d'or qui scintillaient dans sa chevelure et dans sa barbe.

Lorsqu'il l'eut rejointe, ils marchèrent jusqu'à un bosquet d'arbres tropicaux où l'herbe et les fleurs poussaient à même le sable, semblait-il. Une vieille ancre rouillée gisait, fichée dans le sol ; ils s'installèrent à côté, au milieu de la rotonde naturelle formée par les buissons et les rochers. Erica se dit qu'ils devaient être nombreux ceux qui étaient déjà venus pique-niquer à cet endroit précis mais, contrairement à La Quinta, on pouvait se croire ici au paradis terrestre : pas de stand d'ananas, pas de fauteuils ni de parasols, pas la moindre odeur d'huile solaire. La jeune femme prit une longue inspiration : l'air sentait la fleur et la mer. Et puis, il y avait ce silence, ce calme exquis, loin des bavardages à voix plus ou moins étouffées, de cette « camaraderie forcée », selon le mot de Jess.

Soudain, elle entendit le timbre argenté d'une trompette, suivi d'une flûte et de violons. Jess avait installé son lecteur de cassettes sous les arbres.

Il lui tendit les serviettes qu'elle étala par terre avant de s'asseoir en tailleur et de plonger le nez dans le panier-déjeuner.

— Je veux voir ce que le chef nous a préparé.

— Des restes, suggéra-t-il en se soulevant sur un coude.

La chemise et le short d'Erica étaient d'un bleu turquoise qui faisait ressortir son bronzage et ses yeux noisette, brillants d'étincelles vertes. Fasciné par tant d'éclat, Jess l'observait de près tandis qu'elle déballait le déjeuner composé de fromages, de fruits, de rôti froid, de pain.

— Vous voyez qu'il n'y a pas de restes ! Et tout a été soigneusement cuit à point et emballé dans du papier argent. Cela vous convient-il ?

Il hocha la tête et jeta un regard distrait sur le repas. Il sourit en voyant Erica couper deux belles tranches de pain, les napper de moutarde de Dijon avant d'y ajouter du fromage et des morceaux de bœuf. Avec appétit, elle mordit dans son sandwich.

— Nous avons pourtant bien dîné ensemble, hier soir, non ?

— Oui, mais c'était hier.

— Et le petit déjeuner ?

— Il n'en reste plus rien après la matinée agitée que nous avons eue !

A son tour, il se prépara un sandwich plus léger.

— Allons bon ! Si le club Capricorn est si parfait, où ont-ils mis le vin ?

Elle sortit tranquillement du panier une bouteille de rosé.

— Et pas de tire-bouchon ?

Il avait beau la provoquer, elle ne se démontait pas et présentait l'objet demandé, un sourire triomphant aux lèvres.

Il finit par en faire autant et se mit en devoir de déboucher la bouteille tandis qu'elle déballait deux verres en cristal.

Ils déjeunèrent dans un silence paisible. Elle savait qu'avec Jess les mots ne comptaient pas beaucoup ou, même, risquaient de gêner. Il était d'agréable compagnie. Le repas terminé, ils s'adossèrent à un arbre pour finir leur vin et écouter la musique. Une heure passa, de musique et de repos sous le soleil. Puis la bande s'acheva. Jess voulut se lever pour la retourner, se ravisa.

— La paix... Après deux journées passées au

club Capricorn, je pensais ne plus connaître le sens de ce mot. Pourquoi ne sommes-nous pas partis plus tôt ?

— En fait, reprit-il, pourquoi ne sommes-nous pas tout simplement partis à l'heure prévue ? Où étiez-vous, ce matin ?

Elle attendait cette question, sûre qu'il lui parlerait de son retard avant la fin de la journée. Quand elle était arrivée à dix heures et demie sur la plage, il mettait le bateau à l'eau.

— J'étais à une réunion, répondit-elle. Seriez-vous parti sans moi ?

— Je déteste attendre.

Ce qui signifiait clairement ce qu'elle avait redouté : il serait parti.

Pour le coup, elle se sentit obligée de donner de plus amples explications.

— Le groupe était en pleine méditation. C'en devenait impressionnant. Je ne médite qu'en de rares occasions, par exemple quand je cherche la solution à un gros problème. Je ne sais pas bien faire le vide dans mon esprit.

Comme il ne répondait pas, elle ne sut s'il connaissait ou non le sujet, mais il paraissait intéressé par ce qu'elle disait, ce qui l'encouragea à poursuivre :

— Ce matin, je crois que je suis parvenue à rester trois minutes sans penser à rien.

Elle se mit à lui décrire les différentes méthodes de méditation. Il finit par lui répondre lorsqu'elle lui suggéra d'essayer à son tour.

— Je n'ai pas la moindre intention de participer aux activités du club Capricorn.

Elle se dépêcha de changer de conversation, soulignant que chacun était libre d'y faire ce qu'il désirait, ni plus ni moins.

Depuis l'instant où elle l'avait vu pour la première fois, elle savait que son travail le préoccupait plus que tout ; maintenant, elle devinait, à ses regards, à ses attitudes, qu'il y passait plus de temps qu'il ne le devrait ; elle-même présentait souvent les mêmes signes de tension. Mais, malgré le peu de temps qu'elle avait passé au club, ses techniques de relaxation faisaient déjà leur effet. Les bénéfices en seraient aussi importants pour elle que pour ses patients et elle se disait que Jess lui-même ne pourrait en tirer que du profit. Mais qui était-il ? Elle avait beau ignorer la réponse, elle ne se décourageait pas.

— J'ai eu l'impression, hier, quand Sally m'a demandé de vous regarder sur la plage, que vous ne pensiez qu'à votre travail.

Il ne répondit pas ; elle en conclut qu'elle ne s'était pas trompée.

— Il ne m'a pas fallu deux jours pour comprendre qu'aucune carrière au monde ne gagnait à ce que l'on s'épuise pour mieux réussir. Connaissez-vous le bio-feed-back ?

Sans attendre de réponse, elle poursuivit :

— Il a été scientifiquement prouvé que chacun pouvait maîtriser ses propres battements de

64

cœur, retenir ses pulsations afin d'éviter le stress...

Il leva une main, esquissa un sourire :

— Avant de me libérer de mes préoccupations, encore faudrait-il que j'en aie...

— Mais vous paraissiez sur la plage, hier, tellement absorbé !

Il ne parviendrait pas à lui faire croire qu'elle s'était trompée.

— Avant de vous avoir rencontrée, rétorqua-t-il.

Elle s'efforça de ne pas penser à ce que pouvait impliquer une telle phrase. Elle voulut reprendre sa démonstration mais il la regardait avec ce demi-sourire qui lui fit brusquement comprendre qu'il n'avait rien à voir avec toutes ces techniques dont elle voulait l'entretenir.

Jess se leva, s'étira lentement, puis se pencha vers Erica pour l'inviter à se lever à son tour. Avec des gestes tout à fait naturels, il lui ôta son tee-shirt mais, lorsqu'il voulut faire de même pour le short, elle eut un mouvement de recul.

— Si je comprends bien, dit-elle ironiquement, vous avez envie de vous baigner !

Il acquiesça.

— J'espérais revoir le maillot mauve.

Il la contempla d'un œil inquisiteur.

— Celui-ci n'est pas mal non plus, commenta-t-il. On dirait que vous vous promenez avec deux rayons de soleil pour tout vêtement.

Elle sourit. Parfois il savait montrer de véritables dons poétiques. Son bikini d'un jaune d'or lui paraissait beaucoup plus correct que l'autre.

Quant à lui, il portait un éclatant bermuda à fleurs, très serré, la dernière mode sur les plages de la Californie du Sud. Elle savait où il habitait, mais c'était tout ce qu'elle avait découvert à son sujet. Il demeurait pour elle une énigme, une splendide énigme. Son torse de bronze était juste assez musclé pour émouvoir sans impressionner. Et elle se dit que si elle le caressait, ce serait comme un velours sous sa paume.

Il se dirigea vers la mer sans plus s'occuper d'elle, comme si, tout naturellement, elle allait le suivre. C'est d'ailleurs ce qu'elle fit après avoir poussé un long soupir. L'eau était fraîche, limpide, et de tendres vaguelettes venaient vous taquiner de leurs assauts chantants. Erica se mit à nager doucement, se laissant porter par le courant lascif. Mais si l'océan était doué de toute la patience du monde, Jess ne l'était pas.

— Faisons la course jusqu'à ces rochers ! proposa-t-il en désignant un point situé à une centaine de mètres.

Elle fit oui de la tête et se lança, profitant de l'avance qu'il lui consentait poliment, dans un crawl parfaitement efficace. Surpris, Jess dut nager avec vigueur pour revenir à sa hauteur.

Ils glissaient sur l'eau l'un à côté de l'autre, se surveillant du coin de l'œil, comme s'ils dansaient un ballet de dauphins parfaitement harmonisé.

Sur le point d'atteindre le but, Jess appuya un

peu sur ses bras pour prendre l'avantage, mais la jeune femme avait plongé sous l'eau et il dut redoubler d'efforts pour, enfin, l'emporter sur elle.

Ils sortirent de l'eau ensemble, riant à bout de souffle.

— Merci de m'avoir laissé gagner ! dit-il, en s'accompagnant d'un petit salut de la main.

— Ce n'est rien, répliqua-t-elle sur le même ton. Cela me faisait plaisir.

Ils grimpèrent sur le rocher, main dans la main et il ne la lâcha que pour atteindre le sommet où il resta un instant, brillant comme une statue d'or dans le soleil ; puis il s'élança et plongea dans l'eau profonde. Erica demeura interdite sur son rocher, se rendant compte qu'elle n'avait pu s'empêcher d'admirer ce corps mouillé voler entre ciel et mer, et qu'elle avait eu peur qu'il ne s'écrasât sur les rochers. Elle le vit bientôt qui émergeait, secouait la tête pour chasser l'eau de son visage ; alors elle se mit à rire, soulagée.

Cependant, elle préféra redescendre avec mille précautions pour retrouver l'eau sans risquer de se rompre le cou.

Elle fit la planche tandis que Jess admirait ses longs cheveux qui flottaient comme des algues brunes. Enfin, elle se retourna, se remit à nager et Jess l'accompagna, en restant tout près d'elle sans pour autant l'effleurer.

Ils reprirent pied et gagnèrent la plage, le corps ruisselant de gouttelettes brillantes. Elle se mit à courir le long de la plage, ses pieds touchant à peine le sol, sans savoir pourquoi.

Il riait derrière elle tandis qu'elle poursuivait sa course, au-delà du lieu de leur pique-nique, le cœur battant à se rompre.

Alors que la côte se faisait plus escarpée, les vagues plus agressives, elle sauta dans l'eau. Au même instant, il lui attrapa enfin le bras et l'attira à lui.

Ensemble, ils tombèrent en riant. Mais, comme elle tentait de se relever, il la prit à la taille et, tous deux à demi immergés, se serrèrent l'un contre l'autre, tandis qu'il déposait un baiser salé sur ses lèvres encore haletantes.

Elle perdit toute notion du temps et du lieu pour n'être attentive qu'à la délicieuse caresse sur sa bouche, à la pression virile sur ses bras. La marée montante s'emparait d'eux, les bousculait pour les abandonner peu après avant de repartir à la charge. Ils ne furent plus que deux corps mouillés, salés, couverts de sable, qui roulaient ensemble sur la grève.

Ils se regardaient, brûlants de désir, ne connaissant plus rien au monde que ce que leurs yeux se disaient. Le maillot d'Erica flottait autour d'elle, défait par les mouvements de la mer et elle sentit soudain sur sa poitrine un doux effleurement qui ne ressemblait plus aux vagues, mais à une barbe, délicieusement étrangère. Elle enfonça ses doigts dans les cheveux de Jess pour l'attirer tout contre elle, sans prendre garde à l'océan qui les couvrait parfois, les faisant suffoquer, puis se retirait, le temps de les laisser respirer.

Ils entendirent le bruit en même temps. Il venait de loin mais s'approchait de l'île. Sans la lâcher, Jess inspecta l'horizon du regard : il aperçut un canot qui arrivait dans leur direction.

Il jura entre ses dents et lui tendit le haut de son maillot, lui embrassa doucement la bouche et tourna de nouveau les yeux vers la mer. Maintenant, ils apercevaient clairement l'embarcation.

— On dirait que nos camarades du club nous ont suivis jusqu'ici, dit-il d'une voix mauvaise.

Ils revinrent chercher leurs affaires. L'île ne leur appartenait plus.

La journée avait été si belle, pensait Erica. Peut-être valait-il mieux qu'elle s'interrompît là. Ils avaient voulu aller trop vite et le destin en avait décidé autrement.

Jess prit place sur le voilier, sans dire un mot, les cheveux balayés par le vent. Leurs regards se rencontrèrent et il parut lire dans ses pensées.

— Vous n'étiez pas tout à fait sûre de vous, n'est-ce pas ?

— C'était trop tôt, Jess. Nous avons besoin d'un peu de temps pour réfléchir. Juste un peu de temps.

Et elle se demandait ce que le temps pourrait lui apporter.

Il secoua la tête lentement et elle ne put dire s'il l'approuvait ou non car il regardait la mer.

Quand il se tourna de nouveau vers elle, ce fut pour lui poser une question, l'air grave :

— Que se serait-il passé si ce bateau n'était pas arrivé ?

Elle lui cachait le soleil qui auréolait ses cheveux d'un reflet de cuivre aussi éclatant que l'astre lui-même.

— Je ne sais pas, finit-elle par répondre.

— Je pensais que c'était là l'un des objectifs du club.

Elle lui rendit son sourire navré.

— Je crois qu'ils appliquent plutôt la politique du laisser-faire.

— Eh bien ! Pas moi, vous pouvez me croire.

Ils revenaient lentement vers La Quinta et la nuit, qu'ils avaient compté passer ensemble, s'étendait maintenant sur eux.

Lorsqu'elle mit pied à terre, il lui caressa doucement le visage et secoua la tête.

— Trop de soleil ! dit-il.

— Et trop de barbe ! rétorqua-t-elle. Aucun des deux ne fait de bien à la peau.

— La prochaine fois, appliquez une crème plus efficace ! suggéra-t-il en riant.

— Et vous, rasez-vous !

Elle plaisantait mais s'aperçut qu'elle avait néanmoins prononcé ces mots sur un ton tout à fait sérieux.

Il lui répliqua avec la même conviction :

— Certainement pas. Cette barbe fait partie de moi, comme mon esprit de contradiction.

Et, comme pour bien appuyer cette affirmation, il ajouta, les yeux bleus comme l'acier :

— Personne ne me fera changer d'avis.

Elle fut un peu surprise par sa véhémence qui répondait, en fait, à une innocente plaisanterie. Décidément, c'était un homme complexe, à qui il valait mieux ne rien demander, ni même suggérer.

Elle toucha sa barbe en souriant.

— Vous êtes très beau ainsi. Je me demande seulement quelle physionomie vous auriez sans...

Il secoua de nouveau la tête.

— D'accord, dit-elle tout en se dirigeant vers son bungalow. Je vous vois au dîner.

Lorsqu'il la rejoignit au restaurant, il portait toujours sa barbe mais Erica ne l'attendait pas seule. Elle était assise à la table de Sally, accompagnée de l'un des hommes qu'ils avaient vus, la veille. Il marqua un temps d'hésitation mais Erica lui fit signe d'approcher ; ce qu'il fit, avec un regard qui en disait long sur son envie de s'esquiver.

Elle décida de rester inflexible.

Elle fit les présentations, très mondaine, comme s'il était naturel qu'il eût oublié leurs noms.

— Sally et Carlton.

En trente secondes, Sally avait déjà raconté sa vie et commençait à révéler que Carlton vivait à Atlanta et travaillait dans l'informatique. Elle n'était pas encore parvenue à en savoir plus sur son compte mais ne perdait pas espoir.

— Dînez avec nous ! proposa le jeune homme.

Jess déclina l'offre, sans demander l'avis d'Erica.

— Non.

Il ajouta un remerciement presque inaudible en prenant la main de sa compagne.

— J'ai déjà réservé une table pour deux.

Un instant, il lui sembla que la jeune femme résistait, mais elle finit par se lever.

— A tout à l'heure ! dit-elle aussi aimablement qu'elle le put.

— Nous irons danser, indiqua Sally. Venez nous rejoindre !

Ils regagnèrent la table où ils avaient dîné la veille. Mais cette fois, ils n'eurent pas besoin de chercher un sujet de conversation.

— Je vous ai dit, Erica, que les relations du club ne m'intéressaient pas.

— Et moi, ce qui ne m'intéresse pas, c'est votre...

Elle chercha un mot qui ne vint pas, trouva une autre expression :

— ... suffisance !

Elle comprit qu'elle avait mal choisi en le voyant éclater de rire.

Il lui prit la main.

— Je voulais simplement être seul avec vous. Je vous veux pour moi.

Elle se plongea dans le menu pour ne pas avoir à soutenir son regard soudain grave.

— Sally et Carlton avaient peut-être des choses importantes à nous raconter.

Il leva un sourcil surpris.

— Dans ce cas, nous les rejoindrons pour boire un verre avec eux après le dîner. Mais je ne veux pas les voir pour le moment. Ne comprenez-vous pas ?

Elle fit signe que oui. Après tout, elle aussi appréciait ce moment d'intimité.

Mais le reste de la soirée ne se déroula pas du tout comme ils l'avaient prévu. Le dancing était bondé et l'enthousiasme inopportun de Carlton ennuyait Jess.

— Nous avons fait du surf tout l'après-midi, expliquait-il avec force détails, et demain nous partons en croisière. Nous nous arrêterons au port de pêche, de l'autre côté de l'île.

— Nous y déjeunerons et y ferons des courses, renchérit Sally.

Elle avait pris un coup de soleil sur le nez mais ses yeux brillaient de plaisir à cette perspective.

— Vous devriez venir avec nous ! ajouta le blond Géorgien.

— Je préfère mon bateau, marmonna Jess.

Et, comme pour s'excuser, il commanda une tournée générale.

Mais le geste n'avait pas trompé Erica. C'était un homme impossible !

— Je serai ravie de me joindre à vous, Carlton.

Ses yeux croisèrent ceux de Jess et elle comprit que sa hâte à accepter l'invitation venait aussi du fait qu'elle ne voulait pas se retrouver toute une journée seule avec lui; leur relation devenait trop intense pour elle. En même temps, elle souhaitait désespérément qu'il vînt avec eux.

Il avait parfaitement saisi pourquoi elle agissait de la sorte mais, en ce qui le concernait, rien ne le ferait changer d'avis. Il partirait à la voile, seul. C'était du moins ce que ses yeux disaient; elle serra les dents de colère. Les musiciens arrivèrent à point nommé pour leur épargner une première dispute.

Quand un rythme endiablé déferla sur la salle, Erica eut follement envie de danser à la suite de Sally et de Carlton qui n'avaient pas attendu pour se rendre sur la piste. Elle se tourna vers Jess.

— Je ne sais pas, maugréa-t-il.

Elle le regarda, incrédule.

— Vous ne savez pas danser ?

— Je n'ai jamais appris.

Il ne paraissait pas le regretter outre mesure...

— Pas le temps, ajouta-t-il laconiquement pour le cas où Erica n'aurait pas compris.

Elle allait dire qu'elle aussi avait une profession accaparante quand Marty, le directeur du club, apparut devant eux.

Jess ne s'était pas privé de glisser à Erica, la veille, qu'il portait sa stupidité inscrite sur le visage et sa vulgarité en prime. Elle était obligée de reconnaître qu'il avait raison bien que Marty fût un bel homme, ou l'eût été sans ces chaînes d'or qui brillaient au milieu d'une poitrine

74

velue, généreusement découverte par une chemise à moitié déboutonnée. Il était doué d'une excellente mémoire, appelant chacun de ses hôtes par son nom, et sa réputation de danseur était légendaire. Toutes les femmes étaient folles de lui !

— Vous ne dansez pas ? demanda-t-il.

Jess répliqua abruptement :

— Pas ce soir.

Il fit mine de ne pas comprendre que la réponse s'appliquait aussi à Erica :

— Et vous ? insista-t-il à l'adresse de la jeune femme.

— J'adore la rumba.

Ce disant, elle ne regardait plus son compagnon. Pourquoi devrait-elle rester assise toute la soirée ? Pour faire plaisir à cet ours ?

Marty ne se fit pas prier pour lui offrir son bras et ils se mirent à danser sur cette musique d'Amérique latine qui vous entraîne irrésistiblement. Quand l'orchestre se lança dans un rythme disco, Erica suivit Marty sans une seconde d'hésitation. Elle avait la danse dans le sang et ne tarda pas à attirer tous les regards.

Pour le tango qui suivit, un énorme monsieur demanda à remplacer Marty ; il étonna Erica par sa grâce et son agilité. Puis un superbe athlète bronzé l'entraîna dans un rock effréné avant de la serrer de très près aux accents d'un tango.

Lorsque la musique s'arrêta, elle remercia son cavalier et retourna à sa table, le visage rose et le souffle un peu court. Chacun de ses pas avait été suivi par un regard bleu, froid comme l'acier, dépourvu de la moindre lueur de désir...

— Je me suis bien amusée, commença-t-elle.

Elle ne fut même pas sûre qu'il l'ait entendue. En tout cas, il n'avait pas attendu pour lui prendre le bras, dans un geste qui n'avait rien d'amical et encore moins de tendre.

— Parce que votre plaisir consiste à vous donner en spectacle !

— J'aime danser, Jess. Et vous devriez essayer...

Elle s'interrompit. Après tout, elle ne lui devait ni excuses ni explications. Elle chercha à se dégager de l'emprise de sa main toujours serrée sur son bras.

— Asseyez-vous, dit-il doucement. Je ne veux plus que vous dansiez.

D'un seul mouvement, elle se leva et répondit, d'une voix douce, mais sur un ton dédaigneux :

— Je vous rappelle que vous n'avez strictement aucun droit sur moi.

— Parfait.

Il se dressa à son tour et lui fit face. Autour d'eux, les couples tournoyaient, riaient et chantaient. Erica aimait cette ambiance. Lui la détestait, tout comme il détestait cette île, ce club, ces gens ; à l'exception d'un voilier et d'une petite île qu'ils avaient prise pour le paradis quelques heures durant. Mais ce souvenir ne suffisait pas à effacer le reste : l'arrogance de Jess, sa brutalité, son mépris.

Il paraissait attendre une réponse, mais elle se tut.

— Amusez-vous bien ! murmura-t-il. Et bonne croisière, demain.

Il tourna les talons et quitta le dancing.

Elle se mordit les lèvres de colère mais non de surprise. Plus rien de ce qu'il faisait ne pouvait la surprendre et elle ne le laisserait pas lui gâcher ses vacances.

Lorsque son athlétique danseur revint à sa table, elle lui rendit son sourire.

— Venez, Erica. Il y a un concours de samba, maintenant.

Sans un regard en arrière, elle se laissa entraîner sur la piste.

## Chapitre 5

La croisière avait tout pour plaire à Erica. Le
catamaran avait des dimensions impression-
nantes et un luxe plaisant, Port Alfred était un
charmant village où se multipliaient les bouti-
ques hors taxe et les bateaux de plaisance, et la
journée s'acheva sur un dîner au clair de lune où
leur furent servis des homards et du champagne.
Pourtant, elle ne s'amusa pas.

Jess lui manquait. La journée avait perdu tout
son sel sans ses remarques acerbes et le clair de
lune sans lui ne signifiait plus rien. Si elle ne le
connaissait que depuis quelques jours, déjà elle
s'était habituée à ses manières, à la fois rudes et
douces, audacieuses et délicates. Elle aimait
l'inattendu qu'il ne cessait de provoquer à chaque instant, tant il savait rester énigmatique et
imprévisible.

Revenus à bon port, les passagers ne voulurent
pas s'en tenir là ; la bonne journée passée et le
champagne aidant, ils se rendirent tous au dancing où Erica s'était tant dépensée la veille. Mais
ce soir, elle se tenait un peu en retrait, comme si
elle ne faisait plus partie du groupe. Elle ne
parvenait pas à partager leur enthousiasme.
Assise parmi eux, presque inconsciemment, elle

se mit aussitôt à chercher Jess du regard. Naturellement, il n'était pas là, pas même à la table reculée du fond.

Elle se demanda soudain s'il n'était pas reparti, comme il avait failli le faire, lui avait-il confié, le jour même de son arrivée. Après tout rien ne l'arrêterait s'il en avait ainsi décidé. Désespérément, elle refit des yeux le tour de la salle, comme si allait soudain apparaître l'homme qui avait si facilement envahi ses pensées et pris possession de son cœur. Elle venait à peine de le trouver, elle ne voulait pas le perdre. Pas encore. Cette idée la fit frémir et elle porta une main à sa joue.

Carlton s'aperçut qu'elle n'était pas à son aise et vint lui demander si elle n'avait pas froid. Il lui offrait sa veste quand il la vit se dresser comme mue par un ressort et traverser en courant tout le dancing. Elle s'était amusée, la veille, à piquer la jalousie de Jess ; maintenant il s'amusait à jouer les fantômes. Mais elle n'avait plus envie de rire.

Elle suivit le chemin qui menait à son bungalow. Tout était calme à cette heure très matinale car la plupart des hôtes du club dormaient depuis longtemps. Elle avait oublié de laisser la lumière extérieure et monta avec précaution les marches qui menaient à sa terrasse, en se tenant à la rampe.

Il l'attendait dans un transat, seulement éclairé par un quartier de lune et la lueur de sa pipe.

Elle demeura sur la dernière marche sans bouger. Lui non plus n'esquissa pas le moindre geste.

— Je ne savais pas que vous fumiez, dit-elle pour se donner une contenance.

— Si, de temps en temps. Mais jamais de cigarette.

La réponse n'avait rien de très engageant. Il tapa la pipe contre son siège pour en faire tomber les cendres puis la mit dans sa poche.

Aucun des deux n'avait dit ce que l'autre attendait. Il aurait dû s'excuser; elle aurait dû comprendre.

Il se mit à rire et elle s'approcha de lui.

— Je pensais que vous seriez au moins un peu surprise.

— Je le suis. Et ravie aussi.

— Pardonnez-moi pour hier soir, Erica. J'étais...

— Arrogant, précisa-t-elle en arrivant à sa hauteur.

— Disons, possessif...

Il se leva et passa les bras autour de ses épaules.

Aussitôt, elle posa la tête sur sa poitrine et le serra fortement contre elle.

— Oh, Jess ! Vous m'avez tant manqué !

Il la tint un long moment avant de relâcher son étreinte et de reculer d'un pas.

La lune s'était voilée depuis quelques instants mais elle vit tout de même qu'il était resté en maillot de bain, sans chemise ni chaussures...

Mais autre chose la frappa. Il s'était rasé la barbe !

Elle lui caressa les joues, redessinant avec une fascination non dissimulée la ligne de sa mâchoire.

Plus que jamais il faisait penser à un dieu grec taillé dans un marbre rare. Il avait les pommettes hautes, la bouche finement dessinée, l'ovale ferme et plein. Extasiée, elle put constater que, même sans barbe, son visage n'avait rien de banal.

— Vous êtes si beau ! s'exclama-t-elle.

Son enthousiasme le fit sourire et, pour toute réponse, il l'embrassa ; d'abord timidement, comme il savait si bien le faire, puis avec tendresse et conviction, comme s'il effleurait les lèvres les plus douces du monde.

Elle savait que cette ardeur venait non pas d'une longue expérience, mais de sa sincérité, du désir brûlant qu'il avait d'elle.

Et puis, ce qui la bouleversait par-dessus tout, c'était l'idée que cet homme fier et solitaire qui, la veille encore, avait dit ne vouloir changer pour rien au monde, avait modifié son image dans le seul but de lui plaire. Elle en ressentait une joie profonde.

Ne s'était-il pas rasé pour mieux lui offrir ses lèvres ? Avec langueur elle s'abandonna à son baiser tendre et possessif.

De la musique et des rires parvenaient jusqu'à eux. Au dancing la fête continuait mais Erica avait l'impression d'être maintenant sur une autre planète. Quant à Jess, il ne semblait même pas entendre la musique. Il ne lui demanda pas ce qu'elle voulait quand elle se détacha de lui. Il le savait.

— La porte est fermée à clef ? interrogea-t-il d'une voix enrouée.

Elle secoua la tête.

— Bien.

Il la prit par la main et l'amena dans l'appartement sombre. Un instant, il s'arrêta afin de repérer la disposition des pièces puis il entra dans la chambre et se dirigea vers la fenêtre dont il ouvrit les rideaux. Les premières lueurs de l'aube commençaient à effacer la clarté lunaire. Erica ne distinguait que la silhouette de Jess et ses mouvements lents tandis qu'il se débarrassait de son maillot.

Elle restait près de la porte, séparée de lui par toute la longueur de la pièce. Il ne vint pas vers elle mais elle devinait son désir, un désir palpable, aussi réel que les battements de son cœur. Elle ferma les yeux, prit une longue inspiration et chercha la fermeture Eclair de sa robe.

Cette fois, il s'approcha d'elle en lui murmurant des mots qu'elle ne comprit pas. Il acheva d'ouvrir sa robe, la laissa tomber sur le sol. Elle ne portait qu'un slip et, instinctivement, croisa les bras sur sa poitrine. Il ne chercha pas à l'en empêcher, glissant seulement les mains le long de ses hanches pour la libérer de son dernier vêtement.

Elle n'éprouvait aucune gêne parce qu'il faisait exactement ce qu'elle avait attendu de lui. Et sa peau n'en était que plus sensible aux effleurements de Jess, dans le silence de la nuit.

Les jambes flageolantes, elle ne pouvait plus rester debout ; il la prit dans ses bras, la coucha sur le lit et s'étendit à côté d'elle.

— Serrez-moi, Erica, serrez-moi contre vous.

Sa voix avait pris une intonation si grave qu'elle la reconnut à peine ; elle l'attira à elle sans hésiter mais retint son impatience afin de découvrir avec ferveur ce corps tant désiré.

Quand leurs souffles se précipitèrent, Jess regarda Erica dans les yeux qu'elle avait grands ouverts, ourlés de larmes heureuses.

— Ma douce, murmura-t-il, il y a si longtemps que je rêve d'un tel moment !

Ces mots l'enivrèrent plus qu'une caresse et elle se laissa aller au délire de sensations qui affluaient en elle ; elle ne savait plus rien dire que chuchoter son nom, seulement son nom. Mais il l'en empêcha vite en posant sa bouche sur la sienne tandis que ses mains couraient, avides, sur son corps. Comme une vague, Erica ondulait, allait et venait ; plantait ses ongles dans son dos, s'agrippait à lui avec passion, le souffle court. Elle le voulait tout à elle, plus intimement encore.

Alors qu'il murmurait des mots exaltants, elle sut qu'il lui fallait le posséder ou mourir sur-le-champ. Au même instant, il vint en elle. Elle poussa un long cri étouffé, saisit ses cheveux blonds et humides, les yeux au fond des siens.

Tout à coup, elle renversa la tête en arrière, ferma les paupières, tandis que la traversaient les spasmes d'un plaisir infini.

Ils demeurèrent un long moment, serrés l'un contre l'autre, à la recherche de leur souffle, confondus dans la paix langoureuse qui les envahissait.

Ils se couvrirent des draps frais, parlèrent doucement avant de s'endormir, au point du jour.

Le soleil brillait haut dans le ciel et la jeune femme dormait encore profondément quand Jess s'éveilla et partit.

Ce n'est que beaucoup plus tard qu'elle ouvrit les yeux et l'appela ; une odeur de café chaud lui flatta les narines. Jess était à nouveau là, auprès d'elle, et lui présentait un plateau de petit déjeuner. Elle sourit avec délices, s'étira, s'assit en remontant les draps sur elle. Jess lui apportait également un journal.

— J'ai eu du mal, dit-il, pour obtenir ce plateau des cuisines. Ils préfèrent sans aucun doute que les gens prennant tous leurs repas ensemble ; en tout cas, pas à deux heures d'intervalle !

Elle sourit en imaginant le branle-bas de combat.

— J'ai insisté, poursuivit-il, et ils ont bien dû s'exécuter.

Elle souleva la serviette qui couvrait le plateau. Jus de fruits, café, papayes fraîches, croissants et confiture. Elle poussa un petit cri de plaisir.

— C'est magnifique, Jess !

Elle but le café qu'il lui avait versé, mordit dans le croissant.

— Je ne m'attendais pas à de telles attentions de votre part, avoua-t-elle.

— Moi non plus, reconnut-il. C'est la première fois que je prends ce genre d'initiative.

Elle s'en doutait.

— Et la dernière ? ne put-elle s'empêcher de demander.

— Sans doute. Nous verrons. Il m'est arrivé des choses si bizarres ces derniers jours.

Elle s'adossa à l'oreiller pour mieux savourer le fruit que Jess venait d'ouvrir. Elle imaginait à quel point il devait être embarrassé par une soudaine attention et elle mourait de lui poser une question :

— Puisque vous n'avez jamais apporté à une femme le petit déjeuner au lit, que faites-vous, en général ? Vous vous esquivez à l'aube ?

Elle plaisantait à peine. Jess avait pris une telle place dans sa vie qu'elle voulait tout connaître de lui.

— Toujours, dit-il. Normalement, à cette heure-ci, je devrais être en train de travailler, un café à portée de la main, en ayant complètement oublié ce qui a pu se passer dans la nuit.

Il lui emprunta sa tasse et en but une longue gorgée avant de la lui rendre.

— Avec vous, tout est différent. Croyez-le ou non, je n'ai jamais eu envie de boire dans la tasse de quelqu'un d'autre !

Elle le contempla pensivement.

— Cela doit venir du club.

Elle n'était pas sûre de se faire bien comprendre, aussi continua-t-elle :

— Nous vivons une vie à part, en ce moment ; très loin de la réalité quotidienne. Nous ne devons jamais l'oublier.

Il s'éloigna un peu d'elle ; il avait mis un maillot qui ressemblait plutôt à un short coupé dans un jean. Ses cheveux blonds et sa peau bronzée brillaient ; elle se rappela ce qu'il avait fait pour elle la veille et regarda ses joues fraîchement rasées.

Il ne paraissait pas très ému par ce qu'elle venait de dire.

— Si je comprends bien, vous voulez dire que, comme nous n'avons que très peu de temps devant nous, nous cherchons à en tirer le meilleur parti possible ?

Elle rit.

— Il y a de ça !

— Alors ne perdons plus une minute !

Il rejeta le drap pour couvrir de baisers le corps d'Erica ; elle ferma les yeux tandis que ses doigts se perdaient dans les cheveux de Jess... C'était trop beau pour être vrai : un rêve, se disait-elle.

Ils passèrent leurs journées à rire, leurs nuits à partager leur passion, de plus en plus intensément, parce que tout cela allait bientôt s'achever. Ils s'accrochaient l'un à l'autre, comme pour arrêter le temps. La petite île était devenue leur lieu de rendez-vous favori. Ils regrettaient d'avoir perdu une journée à se disputer, et qu'ils ne rattraperaient jamais.

Ils se promenaient sur les plages tranquilles, au milieu des buissons de fleurs sauvages et odorantes, dans les palmeraies fraîches. Ils regardaient le soleil se coucher dans des paysages qu'ils ne se lassaient pas d'admirer et les petits matins revenaient, chargés de promesses dorées.

Une nuit, pourtant, Erica, brusquement réveillée, surprit Jess assis dans l'obscurité. Elle ne posa pas de question mais se douta qu'il restait préoccupé par son travail.

Le matin suivant, elle tenta de l'amener à un cours de relaxation mais il refusa et elle ne lui en parla plus.

Cependant, elle continua à fréquenter ces réunions, deux heures chaque jour. Elle savait qu'elles l'aideraient à reprendre sa profession dans de bonnes conditions.

Pendant ce temps, Jess se baignait, partait loin du club à la nage. C'était sa manière à lui de se détendre et il y trouvait du plaisir, tout comme Erica dans ses cours. Ensuite, il allait l'attendre chez elle, l'écoutait qui montait les marches quatre à quatre. Ils mettaient la musique qu'il aimait tant — Bach ou Mozart — et tombaient dans les bras l'un de l'autre, lui, encore mouillé, la peau salée, bouillant d'énergie, elle, détendue et prête à l'accueillir. Mais tous deux savaient qu'en si peu de temps ils ne sauraient jamais se satisfaire pleinement. Une question resterait à jamais posée entre eux. Et ils ne pouvaient supporter une telle perspective.

Ils se confièrent leurs peurs, leurs goûts et dégoûts, leurs colères et leurs aspirations. Elle lui raconta son flirt avec le théâtre et son rêve inassouvi de devenir une actrice célèbre. Il lui confia avoir échoué de peu à une sélection pour les Jeux olympiques et le regretter encore, car il restait persuadé qu'il aurait pu remporter une médaille d'or en plongeon.

Souvent, la conversation était interrompue par un baiser. Une heure, une journée entière pouvait s'écouler avant qu'ils ne la reprennent, comme si rien ne s'était passé, ni baignade, ni promenade, ni amour ou navigation.

— Comment avez-vous pu abandonner une proposition telle que les Jeux olympiques ? demanda-t-elle.

Ils se trouvaient sur la plage, allongés dans des transats sous les palmiers, à l'endroit même où ils s'étaient rencontrés pour la première fois.

— Faute de temps, répondit-il. Je ne pouvais à la fois m'entraîner et poursuivre mes études. Un métier dure toute une vie ; un plongeon... l'espace d'un dixième de seconde.

— Vous vous apprêtiez à devenir professeur ! dit-elle avec un sourire malicieux.

Elle jeta un regard sur le livre qu'il tenait et ajouta rapidement :

— Surtout ne répondez pas ! Nous n'enfreindrons pas nos lois !

Il ironisa :

— Vous feriez un très mauvais détective. Si j'étais professeur, croyez-vous que je m'en tiendrais à un ouvrage si général ? En fait, je tenais à m'occuper un peu l'esprit au cours de ces vacances qui s'annonçaient si mal !

Il rit et lui montra où il en était.

— Page trente-deux ! Ce qui prouve que je me laisse facilement distraire.

— J'en suis enchantée.

Le mystère restait entier, mais elle ne tenta pas de le percer.

Pourtant, et malgré tous ses efforts, elle commençait à se dire qu'ils pourraient peut-être se retrouver après cette parenthèse. Tous deux avaient atteint un point où ils pouvaient parler sans fard de leur passé et approcher la réalité du présent. Jess n'avait toujours pas bonne opinion de la psychologie et des psychologues et ne se gênait pas pour le dire. Mais c'était à elle de le faire changer d'avis. Après tout, il avait déjà montré de la bonne volonté pour lui plaire. Rien n'était impossible, se disait-elle, rien du tout.

Un soir, alors qu'il la rejoignait dans son bungalow avant le dîner, il lui tendit un petit paquet :

— Joyeux anniversaire ! dit-il d'une voix hachée.

Elle prit la boîte, étonnée.

— Anniversaire ?

— Une semaine.

Il sourit, fier de n'avoir pas laissé passer la date.

Elle ouvrit pour découvrir une fine chaîne d'or.

— Que c'est joli ! Et gentil !

Elle la posa sur sa main pour mieux l'examiner. Sa joie se reflétait sur son visage.

Elle souleva ses cheveux.

— Aidez-moi à la mettre, s'il vous plaît !

Il s'exécuta, peina un peu sur le fermoir et elle se retint de rire en l'entendant marmonner. Enfin, la chaîne attachée autour de son cou, elle se jeta dans ses bras.

Elle n'aurait jamais cru cela de Jess, une telle attention ne lui ressemblait décidément pas, ce qui ne l'en rendait que plus touchante.

Elle lui prit la main, en embrassa la paume.

Ils fêtèrent intensément une semaine d'idylle. Quand Erica se vit dans la glace, la chaîne de Jess autour du cou, elle en ressentit une immense fierté.

Ils trouvèrent tout de même le courage de passer quelques heures en compagnie de Sally et de Carlton. Jess se montra charmant, ce qui soulagea Erica, jamais très sûre de la façon dont il allait se conduire. Il lui arrivait de se montrer renfermé, parfois même dur avec elle. Elle ne comprenait pas les méandres de cet étrange caractère mais apprenait à s'en accommoder ; ou tentait de le modifier... Un soir, elle ôta

Mozart du lecteur de cassettes, y mit une bande qu'elle venait d'acheter à la boutique du club et prit Jess par la main pour lui apprendre à danser.

## Chapitre 6

— Je crois que je suis en train de tomber amoureuse de lui ! confia Erica à Sally.

Elles quittaient ensemble la salle de relaxation où elles se rendaient chaque matin.

— Je l'espère bien ! répondit gaiement cette dernière.

Elle rêvait d'un monde peuplé de couples heureux.

— Jess est terriblement séduisant, poursuivit-elle, intelligent et il sait se montrer charmant dès qu'on le connaît un peu. Que souhaiter de plus ?

— Que le rêve devienne réalité.

Erica désigna le décor de conte de fées qui les entourait.

— Nous nous trouvons dans une situation si artificielle ! Je ne suis pas sûre que tout marche-rait tellement bien dans la vie de tous les jours.

Sally haussa les épaules. Pour elle, seul le présent comptait. Mais Erica ne pouvait raisonner ainsi. La réalité n'était qu'une question de jours, désormais.

— Je me fais peut-être des idées, reprit-elle.

Carlton arrivait à leur rencontre et Sally lui adressa un grand signe amical.

— Moi, j'aime me jeter à l'eau et je ne serai jamais assez folle pour laisser s'échapper un homme qui me plaît. Si cela marche, tant mieux ; sinon...

Elle chassa d'un geste ses boucles brunes et courut rejoindre Carlton, parfaitement insouciante.

Tard cet après-midi-là, Erica et Jess quittaient la plage main dans la main pour se rendre cette fois dans son bungalow à lui. Elle repensait à sa conversation du matin avec Sally et décida d'adopter l'attitude de son amie. Elle avait tout à gagner dans ses relations avec Jess et rien à perdre... si ce n'était son cœur.

Son compagnon aussi paraissait songeur tout en préparant un cocktail d'ananas et de rhum. Le temps passait et il leur restait tant à se dire, trop ; pour cette raison, ils ne se disaient rien. Il mit de la musique et la prit dans ses bras. Ils dansèrent sans vraiment danser, leurs corps s'épousant, comme deux pièces de puzzle faites pour se compléter.

La musique s'acheva sans qu'ils se séparent. Un rythme imaginaire les entraîna jusqu'au lit de Jess. Ils s'aimèrent longuement, avec cette intensité et cette émotion de ceux qui se savent près de se séparer et ne peuvent s'empêcher d'y penser sans cesse. Les ombres du soir s'étendaient sur leurs corps alanguis tandis qu'ils se tenaient blottis l'un contre l'autre comme s'ils avaient froid, ou peur. Ils s'efforcèrent de rire pour chasser leur tristesse.

Ils se mirent à parler d'eux-mêmes ; Erica raconta son mariage avec Larry, et ce qu'elle avait ressenti au moment de leur rupture.

— Il vous a quittée pour une autre femme ?

Elle hocha la tête. C'était si réconfortant de se confier à Jess !

— Il n'a rien compris ! commenta-t-il.

— Mais moi, à l'époque, je ne pensais qu'à mon travail ; je n'attachais d'importance à rien d'autre et je croyais que Larry approuvait mon rythme de vie...

Elle haussa les épaules.

— J'ai vite déchanté.

Il n'y avait aucune amertume dans ses paroles ; seulement de la résignation. Elle avait trop pensé à ces moments pour s'en émouvoir encore.

— Personne depuis ? demanda-t-il. Pas d'autre homme ?

— Si, mais rien de sérieux.

Elle leva soudain la tête.

— Et vous ?

— Rien d'important non plus.

Il sourit.

— Je ressemble beaucoup à l'ancienne Erica. Mes amis disent que je suis un drogué du travail, que je ne fais attention à rien d'autre, et ils ont raison. Quand une femme passe dans ma vie, je m'occupe si peu d'elle qu'elle finit par se lasser et s'en va, souvent en claquant la porte. Je reconnais que mon goût du travail y est pour beaucoup mais il y a autre chose : je n'ai jamais éprouvé de sentiments intenses. Du moins, jusqu'ici.

Ces derniers mots venaient d'être prononcés sur un ton grave qui la bouleversa.

Elle lui prit la main.

— C'est parce que nous vivons en pleine fiction.

Elle-même s'efforçait de croire à ce qu'elle avançait... Elle posa sa paume sur sa poitrine et dit, d'une voix étrangement voilée :

— Nous ferions mieux d'en profiter pendant qu'il en est encore temps.

Pour toute réponse, il couvrit ses lèvres d'un long baiser.

Au dîner, tout changea. Plus tard, elle tenta d'imaginer ce qui aurait pu se passer s'ils avaient dîné autre part, ou s'ils étaient partis avant le dessert. Tout alors eût été différent. Mais à peine eurent-ils bu leur café qu'ils se mirent à parler de leurs familles. Devant l'imminence de leur séparation, ils s'empressaient de tout se dire, d'éclaircir les dernières zones d'ombre.

— Ma mère, Iris est... elle est...

Elle s'interrompit, cherchant quel mot la décrirait le mieux.

— Unique, finit-elle par déclarer, fantaisiste, sociable, énergique, amusante. Elle est très belle, paraît dix ans de moins que son âge. Et je l'adore.

— Mes parents se sont tués il y a dix ans dans

95

un accident d'auto. Mais ma mère devait ressembler à la vôtre, très mondaine.

— Apparemment vous n'avez pas hérité d'elle, commenta Erica avec un sourire.

Elle ne plaisantait pas. C'était un homme tranquille et elle appréciait cette qualité.

Il rit, néanmoins :

— J'ai une sœur, beaucoup plus jeune que moi, qui aime sortir mais qui est aussi entêtée que moi.

— Vit-elle avec vous ? demanda-t-elle sans réfléchir.

— Les premiers temps, elle est restée avec moi, en effet. Maintenant, elle s'est installée avec un ami musicien et je n'aime pas beaucoup ça. Elle travaille comme serveuse dans un restaurant minable et passe toutes ses soirées dans des studios d'enregistrement avec ce fiancé au talent incertain et son soi-disant orchestre.

Un méchant petit frisson parcourut le dos d'Erica tant cette histoire lui paraissait soudain familière. Non, se dit-elle, ce n'est pas possible ! Mais elle voulut cependant s'en assurer.

— Comment s'appelle-t-elle ?

— Karen. Elle est jolie mais totalement déséquilibrée.

Elle ne voulait plus rien entendre. Elle ne pouvait rester une minute de plus à table ! Pourtant, Jess bourrait sa pipe et commandait deux autres cafés. Il n'en avait visiblement pas fini avec l'histoire de sa sœur.

— Elle a une façon totalement irrationnelle

d'aborder les réalités de la vie. Vous seriez étonnée si je vous disais à quoi elle a passé ses après-midi, dernièrement...

Eh non ! Elle ne serait, malheureusement, pas surprise du tout. Comme un animal pris au piège, elle commençait à s'affoler, tandis que Jess retenait tendrement ses mains dans les siennes.

Elle prit une longue inspiration. Peut-être existait-il plus d'une Karen en Californie du Sud avec un grand frère abusif et un fiancé musicien ? Peut-être la lune n'était-elle qu'un ballon ? Elle attendit l'inévitable suite en retenant son souffle.

— Elle téléphone à une station de radio et raconte sa vie à une pseudo-psychologue.

Il sourit en secouant la tête.

— Pour autant que cette profession douteuse puisse compter de pseudo-éléments ! Karen a raconté à cette femme, un certain Dr Jordan, tous les détails de sa vie et sans doute de la mienne, par la même occasion.

Il y avait dans sa voix plus de mépris que de colère.

La terrible coïncidence s'abattait sur Erica et brisait tout ce qui l'entourait. Elle lutta pour paraître détendue, cherchant comment se sortir d'une situation aussi invraisemblable. Et, pourtant, les faits étaient là. Karen, sa plus fidèle auditrice, était la sœur de Jess ; et Jess, qu'elle croyait l'homme de sa vie, l'homme à qui elle s'était donnée avec tant d'abandon, était aussi ce frère qui s'immisçait dans la vie de Karen.

Le premier choc passé, elle eut envie d'éclater de rire. Elle avait été sur le point de tomber amoureuse de l'intransigeant célibataire qu'elle avait souvent imaginé. Quel tour pendable venait de lui jouer le destin !

Impossible de demeurer assise, en face de lui, sans répondre ! Il n'avait pas encore remarqué son trouble, trop occupé à bourrer sa pipe et à signer l'addition. Lorsqu'elle ouvrit la bouche, elle s'efforça de prendre un ton calme et détaché.

— Avez-vous écouté l'émission du Dr Jordan ?

— Voyons, Erica ! Je ne perdrais pas mon temps à de telles sornettes !

Il avait prononcé ces mots avec le plus profond dédain.

Elle eut brusquement envie de tout révéler. S'il se fâchait, elle ferait front.

Il ne lui laissa pas le temps d'intervenir, poursuivant sa diatribe :

— J'ai d'autres choses à faire. Vous savez ce que je pense de toutes ces inepties psychologiques. Je n'ai pas eu envie d'essayer ici, au club, et ne serais même pas resté si vous n'aviez été là.

Il lui sourit, cet homme inflexible qui avait su si bien la captiver, la prenait maintenant au piège, sans le savoir.

— Vous ne devriez peut-être pas la condamner sans l'avoir entendue...

Elle cherchait une ouverture, un moyen de tout lui dire.

Mais il ne lui facilitait pas les choses.

— Je suis tenace, Erica.

— Vous avez bien appris à danser !

Comme si cela pouvait signifier quelque chose !

Il secoua la tête avant de revenir à son sujet.

— Cette femme ne m'intéresse pas, pas plus que sa profession. Je n'ai donc aucune raison de lui chercher des excuses. Elle a fait plus de mal que de bien à Karen.

Elle se mordit les lèvres pour ne pas répliquer. Il lui fallait un peu de temps pour retrouver ses esprits, surmonter ce coup du sort. Allait-elle lui avouer qu'elle était le Dr Jordan ? Mais à quoi bon ? Elle s'exposerait à son mépris et à sa dérision, ce qui n'aiderait certainement pas Karen. Et puis elle ne pouvait parler avec lui de cette adolescente sans violer les règles de sa profession. Ne rien lui dire comportait des risques, mais des risques calculés et c'était ce qu'elle avait de mieux à faire pour le moment.

— J'ai vu une photo d'elle.

Elle s'aperçut qu'il continuait à parler et qu'elle n'avait rien écouté.

— De qui ?

— De ce Dr Jordan. Elle se trouve en quatrième de couverture du livre que Karen ne quitte plus en ce moment.

— L'avez-vous lu ?

Elle se dit trop tard que la question était parfaitement ridicule.

Il leva un sourcil.

— Non. Mais je reconnais qu'elle n'est pas mal. Pour une psychologue de bazar.

Elle tressaillit. Décidément, elle avait bien fait de ne rien révéler.

— Mais elle n'est pas aussi jolie que vous, dit-il soudain embarrassé. Je dois vous faire un aveu.

Elle sourit. Ce qu'il allait lui annoncer n'avait sûrement rien de comparable avec ce qu'elle n'avait pas dit.

— L'autre jour sur la plage... Votre petit jeu avec Sally... Vous vous êtes donné du mal pour rien. Je vous avais déjà remarquée et comptais vous inviter à dîner.

Il porta la main de la jeune femme à ses lèvres, la tourna, embrassa sa paume.

Cet homme qui flirtait avec elle, ce n'était plus Jess ! D'impossible, il était devenu charmant. Il avait appris à danser, rasé sa barbe, émergé de sa coquille, ébloui une femme par l'ardeur de son amour. Mais, au fond de lui, ne restait-il pas le même : arrogant, étroit d'esprit et intraitable ? Ses remarques partiales et son attitude à propos de Karen le prouvaient assez. Cependant, il intriguait toujours autant Erica. Elle n'allait pas gâcher les moments privilégiés qu'ils avaient passés ensemble en lui racontant la vérité.

Ils quittèrent enfin le restaurant. Jess, souriant, prit sa main et, soudain, tout redevint pareil. Sur le chemin au milieu des palmiers, ils s'arrêtèrent comme d'habitude pour regarder le sable froid de la plage glisser peu à peu sous les vagues envahissantes. C'était la même chose et tout avait pourtant changé.

Elle posa la tête contre sa poitrine ; il la prit dans ses bras et la caressa doucement à travers l'étoffe fine de sa robe. Elle savait qu'il avait hâte de l'emmener dans son bungalow ; elle aussi attendait ce moment. Leur conversation était oubliée. Il n'y avait plus que Jess. Il la prit par la main et, silencieusement, l'amena vers son bungalow où il alluma une lampe de chevet, avant de lui enlever lentement sa robe.

— Je voudrais vous regarder, dit-il.

Cette nuit-là, c'est Erica qui demeura sans sommeil, blottie contre lui, qui dormait, le souffle régulier.

Elle clignait souvent des paupières pour tenter de chasser les larmes qui baignaient ses yeux. Elle ne voulait pas pleurer maintenant ; elle en aurait bien assez le temps lorsqu'il leur faudrait se séparer.

Si toute relation avec Jess avait, d'emblée, paru difficile, l'histoire de Karen la rendait impossible. Elle comprenait mieux le combat de l'adolescente contre cet homme ombrageux, rigide, plein de préjugés.

Quand vint leur dernière nuit, Jess, plus calme qu'à l'accoutumée, ne la quitta qu'au petit matin sans la réveiller. Il ne devait pas beaucoup aimer les scènes de séparation ; pourtant elle savait qu'il allait revenir. Elle se leva et boucla ses bagages machinalement, le cœur lourd. Elle appréhendait le moment où ils devraient se dire adieu.

Elle s'efforçait de fermer sa valise lorsqu'il apparut, portant un plateau.

— Vous deviez penser que je ne vous apporterais plus jamais le petit déjeuner au lit, dit-il en forçant un peu sur la jovialité.

Ils s'assirent et dégustèrent ce que leur avaient préparé les cuisines, avec empressement cette fois.

— Evidemment, commenta-t-il, ils croyaient me voir pour la dernière fois, mais je leur ai dit que je prolongeais d'une semaine.

Il essayait en vain de lui arracher un sourire.

— Au fait, pourquoi pas ?

Elle lui jeta un coup d'œil interrogateur par-dessus sa tasse de café.

— Pourquoi ne pas rester une semaine de plus ? précisa-t-il.

Elle se mit à rire, enfin.

— Supporteriez-vous d'abandonner si long-temps votre travail ?

— Non, reconnut-il. Cette fois le rêve est bien fini. A moins que nous ne décidions de nous retrouver après ces vacances. Où que nous habitions...

Il semblait attendre une information, tout en ayant l'air de continuer à plaisanter. Elle ne pouvait déceler jusqu'à quel point il était sérieux.

— Nous enfreindrions les règles du club !

Il rit.

— Ce serait épouvantable !

Quelle tentation ! Dire oui, le revoir, au risque de le perdre. Déjà, Jess la débarrassait de sa tasse et la prenait dans ses bras.

— C'est drôle, dit-il, j'ai l'impression de vous connaître depuis toujours, d'avoir toujours eu affaire à vous.

Elle sentait faiblir sa résistance. S'il prononçait un mot de plus, s'il lui demandait de rester, de revenir, de le retrouver à l'automne, elle céderait ; mais il se redressa soudain, comme embarrassé par la profondeur des sentiments qui l'habitaient.

— Vous avez raison, Erica. Loin du club, nous ne pourrions sans doute nous supporter plus d'une semaine. Au moins de cette façon garderons-nous un bon souvenir l'un de l'autre.

Il l'embrassa longuement, tendrement et la jeune femme s'accrocha à lui dans un élan de détresse qui la laissa sans forces. Elle aurait voulu pouvoir mettre ce dernier baiser en réserve, le garder à jamais pour que la douceur de ces lèvres et la chaleur de ces bras lui restent la vie durant.

Ils se quittèrent sur un sourire. Des avions partaient pour Miami toutes les heures. Ils avaient réservé des vols différents, Jess en fin de matinée, Erica dans l'après-midi. Ils décidèrent qu'elle ne l'accompagnerait ni à l'aéroport ni au taxi. Ils s'embrassaient pour la dernière fois.

Lorsque leurs lèvres se séparèrent et qu'il

sortit du bungalow sans un regard derrière lui, elle se demanda s'ils tiendraient parole. Elle avait bien senti qu'elle n'était pas la seule à penser ainsi...

Il suffirait d'un rien pour les réunir, ne serait-ce que pour prolonger un peu le présent, sans trop songer à un improbable avenir. Ils étaient passés près, si près de l'amour. Et, tout au fond d'elle-même, instinctivement, Erica savait que si elle se laissait aller, elle se prendrait au piège d'un chagrin trop lourd à contenir. Un mot de lui, un regard, un geste et elle céderait. Pour sa sécurité, elle devait s'enfuir tant qu'il en était encore temps, tant qu'elle en avait la force, parce que lui ne l'aurait peut-être pas longtemps.

Elle posa sa valise près de la porte et téléphona au bureau. Il y avait une place sur le vol de dix heures.

Dans le taxi qui menait au petit aéroport, elle se mit à pleurer, doucement, de longues larmes silencieuses qui roulaient sur ses joues. Il ne s'était pas passé une demi-heure depuis leur dernier baiser et déjà Jess n'était plus qu'un souvenir. Ils l'avaient voulu ainsi, certains d'avoir raison, adultes sensés et réalistes. Mais les larmes n'en étaient pas moins irrépressibles...

Dans la salle de bains, Sally mettait une dernière touche à son maquillage lorsqu'elle entendit frapper à sa porte.

— Voilà, voilà ! cria-t-elle, en réponse aux coups impatients qui la forçaient à courir.

— Jess...

Elle n'eut pas le temps de lui demander ce qu'il voulait ni de le faire entrer. Il jeta un rapide coup d'œil autour de la pièce.

— Avez-vous vu Erica ?

— Pas aujourd'hui. Nous nous sommes dit au revoir hier soir parce que...

Il ne l'écoutait déjà plus, disparaissait sans un remerciement, ni même un mot. Elle rentra dans sa chambre en secouant ses boucles brunes et, plus tard, dit à Carlton qu'elle avait peut-être mal conseillé Erica en ce qui concernait Jess.

— On dirait qu'elle ne m'a pas écoutée, Dieu merci ! Il est à moitié fou.

Marty en vint aux mêmes conclusions quelques minutes après lorsque Jess entra en trombe à la réception, vérifia tous les bagages qui attendaient et finit par surgir dans son bureau, demandant où se trouvait Erica.

— Je ne l'ai pas vue. Elle a sans doute pris un vol du matin. Allez voir aux réservations si elle n'a pas demandé un taxi...

Et là, il lui fut confirmé qu'elle était partie depuis une heure.

Il héla le premier taxi qui arrivait, présentant un gros billet au chauffeur pour qu'il oubliât sa commande et roulât vite.

Lorsqu'il parvint à l'aéroport, l'avion de dix heures s'apprêtait à décoller. Son billet à la main, il le vit dessiner un arc de cercle parfait dans le ciel brillant. Erica s'en allait, le visage baigné de larmes.

Jess restait seul, désemparé.

## Chapitre 7

— Enfin, te voilà revenue !

Visiblement soulagée, Bobbie Osborn ferma à demi ses grands yeux verts en poussant un soupir de satisfaction.

Erica posa son attaché-case sur le bureau de sa secrétaire, l'ouvrit et en sortit un paquet.

— Ton parfum préféré. Je l'ai acheté à l'aéroport.

Bobbie s'empressa de déchirer l'emballage et se versa immédiatement quelques gouttes de *Diorella* au creux des poignets et sur la nuque. Erica ne pouvait s'empêcher de la considérer comme l'antithèse de la femme californienne. Grande et bien en chair, avec ses cheveux auburn et son teint de porcelaine qui ne supportait pas le soleil, elle s'habillait, été comme hiver, de larges et vaporeuses cotonnades indiennes aux couleurs vives.

— Pourquoi ce soupir ? demanda-t-elle en fronçant les sourcils. Cela s'est donc si mal passé ?

— Pire. Je ne suis allée que deux fois à la gymnastique depuis ton départ !

Erica éclata de rire.

— Je vois. Alors commençons par le commencement. Pourquoi as-tu manqué tes cours ? Tu vas t'atrophier !

— J'ai besoin d'être encouragée, surtout quand j'ai du travail par-dessus la tête !

Elle désigna d'un geste ample les dossiers empilés sur son bureau.

— Nous prendrons un cours dès ce soir ! décida Erica. Et je n'accepterai aucune excuse. Que s'est-il passé, maintenant ?

— Par où attaquer ? Par l'inondation, je suppose. Tu en as sûrement entendu parler.

— Je n'ai pas lu un journal ni allumé une seule fois la radio.

— Nous avons eu droit à un déluge digne de Noé. Il a plu au moins deux jours d'affilée, juste pendant les grandes marées de solstice.

— Seigneur !

— Le lundi, je n'ai pas pu venir travailler et le mardi, quand j'ai essayé, j'ai eu l'impression que les rues se refermaient derrière moi ! Alors tu imagines le désastre du mercredi ! Il m'a fallu plusieurs heures d'écoute pour venir à bout des seuls messages téléphoniques. C'était au début de ton absence. Ensuite, la semaine dernière, nous avons eu des ennuis avec je ne sais plus quelle police d'assurance et le photocopieur est tombé en panne. Et pendant tout ce temps, tes patients n'en finissaient pas d'appeler.

Elle tendit à Erica une épaisse liasse de notes.

— Avec la rentrée des classes, les mères s'affolent. Et puis tu as été désignée comme expert pour une affaire qui passe en jugement ; on t'attend demain au tribunal. J'ai essayé de faire reporter le rendez-vous, mais l'avocat n'a rien voulu savoir.

Elle sortit une autre pile de feuillets mais la jeune femme l'interrompit.

— Ça suffit pour l'instant ! Laisse-moi examiner ces notes, je verrai la suite plus tard.

Bobbie se croisa les bras derrière la tête, heureuse de pouvoir enfin déléguer à qui de droit toutes ses préoccupations.

— Je pose tout sur cette table et je ne veux plus y penser, déclara-t-elle en dégageant son bureau.

— Ai-je des rendez-vous pour aujourd'hui ?

— Plusieurs, oui ! Et tu prendras vingt minutes sur ton temps de déjeuner si tu veux arriver à l'heure à la radio.

— Je sens que tu vas me reconduire très vite au club Capricorn !

— Ah oui ! Au fait ? T'es-tu bien amusée ? As-tu fait une rencontre, selon le vœu d'Iris ? As-tu appris à te détendre ? Tu en auras besoin.

— Attends. Les réponses sont, dans l'ordre : oui, oui et oui.

— C'est la deuxième qui m'intéresse. Raconte.

— Une aventure de vacances, rien de plus.

Elle ne voulait pas trop en parler pour éviter que Jess n'envahisse ses pensées et n'attriste sa journée.

— Rien de plus, reprit-elle. Et il ne correspondait en rien aux vœux d'Iris.

Elle reprit son attaché-case et entra dans son

bureau, en s'efforçant de paraître aussi calme qu'à l'ordinaire.

— Veux-tu du café? lança Bobbie.

— Je préférerais un thé léger.

En se retournant pour fermer sa porte, elle vit que sa secrétaire restait la bouche ouverte.

— Tu plaisantes?

— Pas du tout. J'y ai pris goût pendant mes vacances et je vais tâcher de poursuivre sur ma lancée. Plus de caféine en dehors du petit déjeuner, et beaucoup de yoga!

Bobbie pénétra quelques minutes plus tard dans son bureau avec deux tasses, l'une remplie d'un bon café noir pour elle, l'autre de thé incolore qu'elle lui tendit d'un air dubitatif.

— Oh! La petite Karen de tes émissions n'a cessé d'appeler, ces derniers jours. Elle espérait que tu allais rentrer plus vite.

Karen. La réalité. Erica secoua la tête sans rien dire tandis que la secrétaire poursuivait :

— Elle était en larmes. Son fiancé a perdu son travail.

— C'était à craindre. Il va falloir la reprendre en main.

— Elle ne paraissait pas en très bonne forme.

— Et ce n'est pas Tony qui la tirera d'affaire. Tant qu'il ne se stabilisera pas affectivement et socialement, elle se heurtera aux mêmes problèmes. Autant demander la lune!

Toutes deux discutaient souvent des cas qui leur étaient soumis; Bobbie avait elle-même un diplôme de psychologie et une approche très sûre des patients.

— Je parie qu'elle sera la première à passer sur les ondes cet après-midi, précisa-t-elle.

— Je n'en serais pas surprise. Maintenant, montre-moi les autres messages, par ordre d'importance.

Elles travaillèrent méthodiquement toute l'heure qui suivit, avant l'arrivée du premier patient.

Erica avala ensuite un sandwich et se rendit à la radio, achevant de déjeuner au volant de sa Datsun. Elle se débarrassa des miettes qui maculaient son pantalon blanc, fit quelques respirations de yoga pour se calmer avant de sortir de la voiture. Elle eut une fugitive et douloureuse pensée pour Jess : que faisait-il en ce moment ? Plus ou moins consciemment, il n'avait cessé d'occuper son esprit tandis que lui revenaient, comme des éclairs, des épisodes de leur aventure. Maintenant, elle se demandait surtout ce qu'allait lui apprendre Karen.

Elle n'eut pas longtemps à attendre. « Au bout du fil » n'avait pas commencé depuis cinq minutes que la petite voix se faisait entendre :

— Bonjour, docteur Jordan ! Je me demandais si vous reviendriez jamais !

— Bonjour, Karen ! Dites-moi ce qui vous arrive.

L'adolescente perçut aussitôt la sincère anxiété d'Erica, ce qui l'amena au bord des larmes.

— C'est Tony. Il a perdu son travail et il...

Elle ravala un sanglot.

— Il m'a battue, docteur Jordan !

Erica se prit le front dans la main, à peine étonnée. Tout se passait comme elle l'avait redouté : le caractère versatile et excessif qui lui avait été décrit ne pouvait que verser dans la violence à la première contrariété.

— C'est grave, Karen, je pense que vous vous en rendez compte. J'ai quelque chose à vous dire à ce sujet.

Elle prit un ton ferme.

— Restez en ligne, je voudrais vous parler hors antenne.

Elle fit signe au réalisateur de passer des publicités. Il lui arrivait d'avoir recours à ce procédé lorsque les cas lui paraissaient vraiment graves. Paradoxalement, c'était ce qui faisait le succès de son émission car les auditeurs n'avaient pas l'impression d'être programmés mécaniquement, comme sur d'autres stations.

Derrière sa vitre, Joe leva le pouce, lui indiquant ainsi qu'elle pouvait prendre l'adolescente, en privé.

— Votre problème avec Tony ne peut être résolu par de simples conseils radiophoniques, Karen. Non, écoutez-moi. Je vais vous indiquer le numéro d'un collègue qui officie à l'ouest de Los Angeles. J'aimerais que vous lui téléphoniez dès aujourd'hui.

Elle faisait son possible pour ne pas lui parler trop durement.

— Il est très compétent et je suis certaine que vous serez contente...

— Non, docteur Jordan, non !

L'adolescente se rebiffait.

— Je ne veux m'adresser qu'à vous ! Pourquoi refusez-vous de me recevoir ?

— Parce que j'ai pour principe de ne pas recruter mes patients parmi mes auditeurs. Ceux qui relèvent d'une thérapie, je les envoie à des confrères.

— Mais c'est moi qui vous le demande, docteur !

— Karen, croyez-moi, il est préférable d'agir ainsi. Alors, prenez un crayon et notez.

Elle savait que le psychologue à qui elle l'adressait saurait parfaitement cerner son cas.

— Et dites-lui que vous venez de ma part.

Seul le silence lui répondit.

— Karen ?

— Je n'aurais jamais cru que vous m'abandonneriez ainsi ! Je savais que mon frère ne me comprenait pas, mais vous !...

Elle raccrocha.

Karen — et Jess — la préoccupèrent le restant de la journée. Elle prépara mentalement sa réponse pour le prochain appel de l'adolescente qui, elle en était sûre, arriverait dès le lendemain.

A huit heures, après son dernier patient et une heure d'aérobic bienvenue, une ultime surprise attendait la jeune femme lorsque Greg s'arrêta chez elle avant de regagner sa maison.

— En fait, reconnut-il, je voulais te voir et être le premier à prendre de tes nouvelles.

Elle lui raconta brièvement son séjour au club. Elle était trop fatiguée pour tout lui dire mais, s'il existait quelqu'un à qui elle confierait ses déboires, c'était bien Greg. Pour ce soir-là, toutefois, il se contenta d'un résumé et l'informa ensuite de ce qui se passait dans le quartier. Il commença par sa mère.

— Elle a dû assister au moins à douze vernissages en deux semaines !

— C'est parfait, elle adore ça !

— Oui, mais elle était toujours accompagnée du même admirateur.

Il but une gorgée du daiquiri qu'il s'était versé.

— Qui ? demanda Erica interloquée.

— Eh bien ! je t'assure que je ne me suis pas trompé, il s'agit du peintre Christopher Cain.

— Voyons, Greg, c'est absurde !

— C'est ce que je me disais au début. Mais je te répète qu'ils sont allés ensemble à toutes les manifestations artistiques de ces derniers jours.

Il s'arrêta un instant pour mieux faire ressortir sa conclusion :

— Ensemble !

Erica n'eut pas le courage d'attendre le soir suivant pour se rendre chez sa mère. Iris lui avait d'ailleurs demandé de venir dîner pour lui raconter ses vacances dont elle préparait hâtivement une version très expurgée...

Elle se demandait comment Iris pouvait s'entendre avec un homme tonitruant et bizarre tout en soupçonnant Greg d'avoir exagéré, bien qu'il se trompât rarement. Dans ce cas, Iris n'écouterait pas longtemps sa fille et en viendrait très vite à parler d'elle-même.

Comme à son habitude, Iris lui offrit un dîner remarquable. La salade parfaitement équilibrée, le poisson savamment grillé et aromatisé furent suivis de son inimitable soufflé au chocolat.

— Comment fais-tu pour qu'il ne tombe jamais ? demanda Erica en plongeant sa cuillère dans le dessert léger comme une plume.

— C'est très simple : j'ai une cuisine correctement équipée. Tu ne réussiras jamais de bons repas sans les ustensiles adéquats. Voilà des années que je te répète la même chose, ma chérie.

Elle ajouta d'un air contrit :

— Il est vrai que je ne suis pas seule à tenir cette maison. Si tu veux que je t'envoie quelqu'un pour t'aider deux jours par semaine...

— Non, merci, maman. Ce n'est pas ce que je voulais dire.

— Pourtant, tu pourrais ainsi donner toutes sortes de dîners raffinés. Comme je l'ai fait la semaine dernière encore, à la réouverture du musée de la Lagune...

Elle était lancée.

— Oh ! demanda Erica d'un ton désinvolte, tu y étais donc invitée ? Et par qui ?

— Par un artiste. Christopher Cain. Il est très avant-garde.

— Oui, je sais.

— Je n'aime pas beaucoup ce style.

— Je le sais aussi.

— Erica ! Arrête de dire je sais à tout ce que je te dis. Je n'ignore pas ce que tu penses : tu le trouves trop excentrique pour moi. Mais il a certainement du talent et c'est un homme très attirant malgré sa façon voyante de s'habiller.

— Maman ! s'exclama la jeune femme ravie. Il te plairait donc !

Iris se leva et commença de débarrasser la table.

— Pas vraiment. Mais je le trouve intéressant.

Erica empila les plats et suivit sa mère à la cuisine.

— Quelle bonne nouvelle !

Elle eut un petit rire.

— Telle que je te connais, tu parviendras bien à le faire quitter ses sandales pour de bonnes chaussures de cuir.

— Ne sois pas insolente avec ta mère, Erica !

— Pardon. Je voulais seulement plaisanter.

Mais ses yeux brillaient de malice. Iris et Christopher ! Presque aussi inimaginable qu'Erica et Jess.

Elles regagnèrent le living et s'installèrent autour d'une tasse de café que la jeune femme refusa mais qu'elle servit à sa mère.

Cette dernière avait allumé une cigarette et tirait rêveusement de longues bouffées grises.

— Continue, maman !

— Il n'y a rien à dire encore ; je ne pense pas

qu'il se passera quoi que ce soit. Mais je te tiendrai au courant.

Erica savait qu'elle n'y manquerait pas.

— Parle-moi plutôt de tes vacances. Je veux tout savoir.

Elle parvint à tenir dix minutes en décrivant les lieux, en parlant de l'omniprésent Marty, en racontant son amitié avec Sally, l'histoire de cette dernière avec Carlton et leur participation aux diverses activités de groupe.

— J'essaierai de continuer les exercices de détente chaque matin. Je ne suis pas rentrée depuis deux jours que j'en vois déjà le résultat. Mais rends-toi compte : je n'étais jamais partie aussi longtemps et les dossiers en instance se sont dangereusement accumulés !

— Et les hommes, ma chérie ?

Un sujet qui la captivait beaucoup plus que toutes les techniques de relaxation.

— En as-tu rencontré d'intéressants ?

— Tout dépend de ce que tu entends par là. Est-ce que Christopher, par exemple...

— Ne change pas de sujet ! Continue.

Elle poussa un soupir et se jeta à l'eau.

— J'ai fait la connaissance de quelqu'un mais je ne pense pas que tu le trouves... présentable. Taciturne, lunatique, entêté et pas très riche, je le crains, tout au moins n'en a-t-il pas les signes extérieurs. Mais il est... fascinant.

Comment décrire Jess autrement ?

Iris leva un sourcil, intriguée.

— La richesse n'est pas tout. Que fait-il dans la vie ?

— Je n'en ai pas la moindre idée. Souviens-toi des règles inscrites à chaque page de la brochure : pas de discussions professionnelles, pas de noms.

Iris eut un geste exaspéré de la main.

— Ne me dis pas que tu t'y es pliée ?

Erica hocha la tête.

— Tu ne lui as même pas demandé où il habitait ?

Cette fois, la jeune femme secoua la tête d'un air impuissant.

— Je suppose qu'il a traversé tous les Etats-Unis depuis Buffalo ou Scranton, marmonna Iris.

Sa fille sourit.

— D'après sa façon de s'habiller et son bronzage, j'opterais pour une région plus proche.

Iris releva la tête tandis qu'Erica poursuivait :

— En fait, j'ai deviné qu'il venait du sud de la Californie. Mais d'où exactement, je ne saurais dire.

— Voilà qui manque de précision, répliqua sa mère en lui adressant un clin d'œil, mais c'est déjà mieux. Tu vas le revoir, bien entendu ?

— Non. Il n'en est pas question.

Un regard stupéfait lui répondit. Elle tenta de s'expliquer.

— Nous nous sommes mis d'accord dès le début sur ce point. Je ne sais même pas comment il s'appelle.

118

Iris déposa sa tasse sur le plateau d'argent, porta sa petite main soignée à son front et leva les yeux au ciel.

— Je ne te comprendrai jamais, Erica Jordan !

— Maman, crois-moi : j'ai d'excellentes raisons pour agir ainsi.

— Que tu ne me diras pas...

Elle poussa un profond soupir. Elle était habituée à l'entêtement de sa fille.

— Non, répliqua sobrement cette dernière.

Iris ne s'avouait pas vaincue.

— Je suis certaine que tu vas changer d'avis. Tu pourrais t'arranger pour connaître son nom. Ensuite, ma chérie, il suffira de consulter l'annuaire, n'est-ce pas ?

Et composer tous les numéros ? Erica soupira. Iris en était très capable.

Le jour de son retour à la fondation Murdock, Jess trouva sur son bureau une pile impressionnante de listings. Après avoir adressé un bonjour distrait à ses collaborateurs il s'enferma pour travailler, renvoyant tous ceux qui voulaient le voir, à l'exception de Charlie.

— Ainsi tu fais la trêve avec les dames et tu rases ta barbe ?

Debout, dans l'encadrement de la porte, Charlie dévisageait son ami.

— Je t'ai à peine reconnu après toutes ces années où tu t'étais déguisé en bûcheron !

Jess leva les yeux et passa une main bronzée sur ses joues imberbes.

— J'avais trop chaud, dit-il.

— Je vois.

Charlie vint s'asseoir en face de lui en grimaçant un sourire.

— Tu t'y es pris au début de tes vacances à en juger par l'uniformité de ton bronzage.

— Oui. Le troisième jour.

Comme ce souvenir était précis !

— Raconte, insista Charlie. Aurais-tu rencontré une riche héritière allergique aux moustaches ?

Jess secoua la tête d'un air agacé ; un jour ou l'autre il lui parlerait d'Erica, s'il parvenait à y penser sereinement. Il s'adossa à son siège, désigna un chiffre sur son listing.

— On dirait que nous obtenons des résultats. Qu'en penses-tu ?

Charlie se pencha sur le bureau de Jess, vit la donnée que lui indiquait son ami et qu'il avait laissée passer. Etonné par la perspicacité de Jess, il hocha la tête et oublia vite le club Capricorn.

Mais pas Jess. Erica occupait ses pensées. Pourquoi ? se demandait-il. Il tâcherait d'analyser plus tard les raisons possibles. Ce n'était pas une simple attirance physique, quoiqu'elle aussi existât, très fortement. Il y avait la grâce d'Erica, son humour, son amour de la vie, sa spontanéité, son mystère. Il s'efforçait de croire qu'il subissait surtout la fascination de toute une partie d'elle-même qui lui était demeurée inconnue. Il voulait ce qu'il ne pouvait obtenir, se disait-il, tout en sachant qu'il s'agissait là d'une fausse raison. Si elle le tourmentait ainsi c'est parce qu'il l'aimait, ni plus ni moins.

Pendant le week-end, il ne toucha pas au travail qu'il avait apporté, contrairement à son habitude, et sortit son bateau. C'était en général la meilleure façon pour lui de se libérer de ses pensées que de se livrer à la vitesse du vent, au claquement de l'eau contre la coque... Mais cette fois, c'était différent. Il se rappelait leur première balade en mer, vers la petite île. Il revoyait le soleil sur son bikini jaune et sa peau dorée, ses longs cheveux sur ses épaules, les gouttelettes qui brillaient sur ses bras quand elle sortait de l'eau.

À la fin de la semaine suivante, il décida de la retrouver. Il commença par téléphoner au club en espérant que son métier et la mention de la fondation Murdock lui permettraient d'obtenir l'information qu'il désirait.

La directrice lui annonça gentiment mais fermement qu'elle ne révélait jamais les noms de ses hôtes. Jamais.

— Et ne cherchez pas à m'attendrir ! J'ai déjà entendu tous les prétextes imaginables ! ajouta-t-elle en riant. C'est toujours une question de vie ou de mort, de carrière en péril, de maladie, de vol de bijoux ! Ma réponse est immanquablement la même : si vous avez une raison valable de prendre contact avec un membre du club Capricorn, notre personnel pourra lui transmettre votre message.

Jess refusa. Il n'allait pas utiliser un intermédiaire.

— Non, merci. Je désire la retrouver moi-même. C'est important.

— Docteur Ingram, notre réputation dépend en grande partie de notre aptitude à garder secrète l'identité de nos hôtes. Si cette personne avait voulu que vous connaissiez son nom, ne pensez-vous pas qu'elle vous l'aurait révélé malgré nos consignes ? Je ne prendrai sûrement pas cette initiative à sa place.

Il comprit qu'il était inutile d'insister et raccrocha.

Il restait une autre solution.

— Sally ? Ici Jess, Jess Ingram.

Il y eut un silence au bout du fil. Jess s'expliqua :

— Du club Capricorn. J'appelle de Californie.

— Quelle surprise, Jess ! Comment avez-vous eu mon numéro ?

— Je connaissais votre nom. Il m'a suffi de m'adresser aux renseignements, à New York ! répliqua-t-il agacé. Connaissez-vous le nom de famille d'Erica et son lieu de résidence ?

— Elle ne vous a rien dit ?

Sally avait pris un ton incrédule alors qu'elle s'attendait tout à fait à cette situation, malgré les conseils qu'elle avait prodigués à la jeune femme.

— Non, répliqua-t-il nerveusement. Elle voulait s'en tenir à nos conventions.

— Eh bien moi aussi ! Je n'ai jamais connu

122

que son prénom et, franchement, je n'ai pas cherché à en savoir plus. D'ailleurs, poursuivit-elle, je crois qu'elle tenait vraiment à l'anonymat.

Le dernier espoir de Jess fondait comme neige au soleil. A tout hasard, il laissa son numéro de téléphone à Sally.

— Peut-être vous appellera-t-elle à son tour ? dit-il sans y croire.

— Au fait ! cria soudain la jeune fleuriste, elle m'a dit qu'elle était arrivée par le vol Los Angeles-Miami. Est-ce que cela peut vous aider ?

— Pas vraiment, mais merci.

Sa défaite se muait en colère. Ainsi Erica était tout près de lui et, pourtant, il ne la reverrait sans doute jamais.

— Comme c'est romantique ! s'exclama Sally exaltée par la situation désespérée de Jess. Vous vous retrouvez tous les deux en Californie, alors que vous auriez pu être séparés par des milliers de kilomètres !

Sans répondre, Jess raccrocha doucement.

## Chapitre 8

— Karen, je ne tiens pas à savoir combien Tony a évolué !

Jess suivit sa sœur dans l'appartement. Ils avaient pourtant décidé d'une trêve mais elle n'avait duré que le temps d'un déjeuner. Jess s'arrêta sur le seuil et regarda la petite pièce à peu près dénuée de meubles qui se prolongeait par une chambre à coucher où gisait un matelas, à même le sol.

— Je t'ai pourtant donné de quoi t'acheter un lit, le mois dernier ?

— Un ami nous a laissé ce matelas et j'ai utilisé l'argent à autre chose.

— A quoi, Karen ? Il n'y a pour ainsi dire pas de meubles dans cette appartement.

— Je n'en ai pas besoin.

Elle s'était raidie sous le flot incessant des questions qui tournaient plutôt aux récriminations.

— Alors ? Tu as procuré de la drogue à ton ex-fiancé ?

— Tony ne se drogue pas, Jess. Je te l'ai déjà dit.

Il leva un sourcil dubitatif. Il ne savait pas si elle mentait ou se montrait terriblement naïve.

Mais, pour lui, la question ne faisait pas de doute.

— De toute façon, je ne suis pas venu pour parler de lui mais de toi et de ton avenir.

— Tony est mon avenir. Tu devrais le savoir !

Elle repoussa ses cheveux de son visage et, soudain, Jess se souvint de leur couleur naturelle : un superbe châtain clair aux reflets cuivrés. Elle avait été une si jolie petite fille avec son teint de pêche et ses yeux d'un bleu cristallin. Maintenant, elle avait de longues mèches blondes et raides sur le front, coupées ras sur la nuque. La dernière mode, sans aucun doute ; il avait croisé sur Hollywood Boulevard tant de filles ainsi coiffées ! Et toutes étaient en jean et tee-shirt négligé !

— Je connais Tony et j'ai beaucoup de problèmes, reprit l'adolescente sur un ton de conciliation, mais le Dr Jordan dit...

— Le Dr Jordan ?

Jess, qui s'était assis sur une chaise de cuisine, se leva d'un bond.

— Tu t'en remets toujours à elle ? Je croyais que tu ne lui téléphonais plus.

— J'ai arrêté un moment, rectifia l'adolescente, parce qu'elle m'avait adressée à quelqu'un d'autre. Mais il m'a suffi d'une séance pour comprendre que c'était une erreur. Alors je l'ai rappelée et elle m'a répondu, ajouta-t-elle fièrement.

Jess allait et venait dans la pièce où résonnait chacun de ses pas. Il s'arrêta devant la fenêtre sans rideaux, jeta un coup d'œil sur la piscine où l'eau semblait croupir. Puis il se tourna vers sa sœur en s'efforçant de garder un air calme.

— Karen, je t'ai demandé de me confier tes problèmes, pas de les étaler à travers toute la Californie.

— J'ai essayé, mais tu ne m'écoutes pas. Tu me fais la morale.

— Peut-être parce que je suis plus âgé que toi et plus raisonnable. Mais je ne suis pas là pour provoquer une dispute. Je voulais te parler de tes études.

— Je t'ai déjà dit que je n'étais pas prête pour retourner à l'université.

La petite voix de l'adolescente s'était durcie. Jess lui avait déjà entendu ce ton mais il se laissait chaque fois surprendre par cette soudaine fermeté.

Il fit cependant mine de n'avoir rien remarqué et poursuivit comme si de rien n'était :

— Je te conseille de t'inscrire dès la rentrée à Irvine. Tu es brillante, Karen ; tu as trop de capacités pour te contenter de rester une simple serveuse... et gâcher tes chances. Bien entendu, je paierai tous les frais.

Karen releva le menton et opposa une expression farouche au regard froid de son frère.

— Je me plais ici ; j'aime mon travail et Tony. Je n'ai aucune intention de changer ! Si j'ai envie de reprendre mes études, je le ferai, mais la décision viendra de moi. Je suis majeure et j'ai

126

l'intention de décider de mon avenir toute seule, comme dit le Dr Jordan.

Jess se mordit les lèvres. De nouveau cette femme ! C'était d'elle que venait tout le mal. Il regarda sa montre. Il allait arriver en retard à son rendez-vous de l'après-midi et rien n'était réglé avec Karen. Il ne lui restait qu'à espérer qu'elle changerait d'avis et il s'abstint de lui en dire plus de peur qu'elle ne se braquât complètement. Mais en ouvrant la porte, il ne put s'empêcher de lui donner un dernier conseil :

— Au moins, ne te baigne pas dans cette piscine, elle est complètement polluée.

Puis il ajouta, comme pour lui-même :

— Nous reparlerons un de ces jours de tes études.

Sur le parking, en amorçant sa manœuvre de sortie, il grommela tout fort :

— Au diable cette femme !

Et il ne parlait pas de sa sœur.


Erica ôtait son casque et s'apprêtait à faire signe de lancer l'indicatif de fin d'émission, quand Howard Knight se manifesta à l'interphone. Sa voix habituellement endormie avait pris un ton quelque peu paniqué.

— Docteur Jordan ! Venez immédiatement à mon bureau, je vous prie !

Avant qu'elle n'ait pu demander ce qui se passait, il ajoutait :

— Il y a quelqu'un en bas qui menace de nous traîner devant les tribunaux !

Elle rejoignit le bureau de son patron en un temps record. La porte était ouverte ; de loin, elle entendit sa voix embarrassée.

— Le Dr Jordan est une excellente psychologue, qui respecte scrupuleusement la déontologie de sa profession. Elle a suivi des études très poussées. Je suis certain que, quel que soit le problème, elle pourra...

Il leva un visage défait sur l'arrivante et ses joues retrouvèrent aussitôt un peu de leur couleur.

Le visiteur était penché sur son bureau dans une attitude qui l'impressionnait manifestement. Il lui tournait le dos mais cela n'empêcha pas Erica de reconnaître les cheveux blonds, les longues jambes et les larges épaules. Si elle avait pris le temps de venir sans se précipiter comme elle l'avait fait, son intuition l'aurait avertie qu'il s'agissait de Jess.

Suivant le regard de Howard, Jess se retourna et sa colère se mua instantanément en stupéfaction.

— Erica ! Grands dieux ! Que faites...

Ses yeux agrandis par l'étonnement se plissèrent aussitôt : en un éclair, il venait de comprendre.

— J'aurais dû m'en douter ! Docteur Jordan !

Il avait prononcé son nom avec une sorte de délectation désespérée.

— Jess, je vais vous expliquer.

Les idées s'entrechoquaient dans sa tête. Elle aurait dû prévoir cette rencontre, elle aurait dû s'y préparer. Alors qu'il lui fallait plus que jamais se montrer calme et sûre d'elle, son cœur battait comme un gong assourdissant, l'empêchant de réfléchir.

— Donnez-moi cinq minutes, demanda-t-elle.

Que faire ? C'était la seule question qu'elle parvenait à se poser. Elle se sentait incapable de l'affronter ainsi, sans préparation. Il était reparu trop brutalement dans sa vie.

— Cinq minutes ? Je n'ai pas cinq secondes pour vous, Erica ; pas après ces deux semaines au club. Cela aurait dû vous suffire pour vous expliquer !

Il écumait de fureur.

— Oh ! Vous vous connaissez tous les deux ! s'exclama Howard. Parfait, voilà qui nous facilitera les choses !

Un sourire plaqué sur ses traits mous, Howard se leva, prêt à un repli stratégique.

— Je vais chercher du café pendant que vous réglez ce petit malentendu.

— Vous pouvez rester, monsieur Knight. Il ne s'agit pas d'un « petit malentendu » qui peut se discuter autour d'un café, mais d'une grande déception.

La voix de Jess avait coupé l'atmosphère pesante avec la précision d'une lame de rasoir. Howard sembla se pétrifier.

Cependant, Erica avait repris ses esprits. Elle s'avança calmement vers Jess.

— Je crois que Howard a raison. Nous devrions commencer par nous asseoir...

— Erica, vous ne m'avez pas compris. L'heure des bavardages est passée.

Il se tourna vers le directeur.

— J'ai eu l'occasion de me rendre compte que le Dr Jordan était capable de grossières contrefaçons, et toute allusion à son professionnalisme est grotesque. Elle ne cesse d'ailleurs de ridiculiser la psychologie avec ses remèdes à la va-vite et ses conseils à bon marché divulgués à qui veut les entendre. Heureusement, les problèmes de ma sœur ne vont pas très loin, mais je pense à tous ceux qui ont dû aggraver leur situation en suivant les avis d'Erica Jordan. Par simple mesure de salubrité publique, vous devriez vous débarrasser d'elle.

— Mais nous pourrions... commença Howard.

— Monsieur Knight, je ne plaisante pas. Cette émission est une escroquerie.

En deux pas, Jess avait atteint la porte qu'il claqua violemment derrière lui.

Erica demeurait interdite, submergée par la violence de cette attaque. Elle comprenait la colère de Jess mais au lieu de l'apaiser elle n'était parvenue qu'à la porter à son paroxysme.

— Erica !

Howard tremblait de tous ses membres.

— Ne restez pas plantée là ! Vous connaissez cet homme, faites quelque chose ! Bon sang ! avec sa réputation et son sens de la publicité, il pourrait nous couler. Courez-lui après, arrêtez-le !

Elle se dirigea vers la sortie.

— Je vais essayer. Appelez Bobbie pour qu'elle annule mes rendez-vous de l'après-midi.

Elle ouvrit la porte, se ravisa :

— Qui est-ce, Howard ?

Il lui jeta un coup d'œil inquisiteur, ne chercha pas à comprendre, répondit d'un ton agacé :

— Le Dr Ingram, de la fondation Murdock ! S'il veut déclencher un scandale, il aura toute l'opinion pour lui. Le public aime les savants... Je ne devrais pas avoir à vous dire ça...

Elle n'écouta pas la suite. Elle avait lu bien des articles sur celui qui était considéré comme l'un des plus brillants chercheurs du pays. Il passait assez souvent à la télévision pour pouvoir ameuter toute la presse californienne.

Ce n'était pas pour cette raison qu'elle courait à sa poursuite mais pour une autre, beaucoup plus personnelle. Elle avait contribué à créer cette impasse, maintenant elle devait trouver une issue.

Il avait dû prendre l'ascenseur ; elle dévala les escaliers pour surgir sur le parking au moment où Jess ouvrait la porte de sa voiture. Elle s'arrêta et le regarda un instant, comme si elle le voyait pour la première fois : le Dr Jess Ingram, de la recherche scientifique, debout devant sa Mercedes vert foncé. Il avait fière allure en pantalon gris, veste de tweed, cravate sombre. Il n'avait pas laissé repousser sa barbe. Ce simple détail lui redonna courage.

Il la contemplait, lui aussi, mais avec dureté. Puis il se détourna et s'apprêta à s'asseoir.

131

— Jess !

Elle était à bout de souffle, le visage empourpré, plus belle que jamais. Il ne l'avait jamais vue en jean, dans cette étoffe qui soulignait toutes les courbes de son corps. Un instant ému, il se laissa vite reprendre par son irritation. Il entra dans la voiture mais ne ferma pas sa porte.

— Jess ! répéta-t-elle. Il faut que nous parlions.

— A quoi bon, Erica ? Nous n'avons plus rien à nous dire. D'ailleurs, reconnut-il, je suis trop en colère pour avoir envie de discuter.

— Au moins écoutez-moi. Laissez-moi m'expliquer, ne partez pas !

Elle prit la portière pour l'empêcher de démarrer et ce geste avait un côté dérisoire qui n'échappa à aucun d'eux. Elle sourit ; lui non, mais il marqua une hésitation avant de dire très vite :

— D'accord, montez !

Elle fit le tour de la voiture, s'y installa tandis qu'il mettait le moteur en marche, reculait et quittait le parking sur les chapeaux de roues. Il se dirigeait vers Newport Center Drive sans un regard ni une parole pour elle, comme si elle n'était pas là. Elle ne s'en plaignit pas, car ce laps de temps lui permettait de rassembler ses idées, de préparer ce qu'elle allait dire. Maintenant qu'il s'apprêtait à l'écouter, elle n'avait plus peur. Il s'arrêta au feu rouge, parut, un instant, chercher sa direction, puis tourna à gauche.

Tout d'un coup, il se mit à parler, toujours sans la regarder :

— Une seule question, docteur.

Il avait souligné son titre d'une intonation sarcastique.

— Qui est cette femme sur la couverture du livre ?

Elle répondit entre ses dents.

— Ma mère.

— Votre mère ? Votre mère !

Il ne paraissait pas y croire. Elle espéra qu'il allait sourire, cette fois, peut-être même rire, mais ses mots furent plus amers qu'amusés :

— Décidément, vous vous servez de tout le monde.

Il donna un coup d'accélérateur et se dirigea vers l'autoroute.

— Personne ne se sert d'Iris, répliqua-t-elle fermement. Mais là n'est pas la question, n'est-ce pas, Jess ?

Il ne répondit pas durant les dix minutes qu'il lui fallut pour atteindre l'autoroute, au bord de l'excès de vitesse. Erica s'était enfoncée dans son siège de cuir beige et regardait le paysage de collines verdoyantes, cernées par les silhouettes mauves de montagnes plus lointaines. Tout d'un coup, elle se sentait bien au cœur de ce paysage familier.

Et puis elle reconnaissait l'eau de toilette qui faisait monter en elle des bouffées de souvenirs et de sensations, à la fois si proches et si lointains, inaccessibles.

Elle lui jeta un regard en coin. Ses mains bronzées tenaient fermement le volant, ses yeux se concentraient sur la route qui défilait sous les roues du véhicule.

Soudain, ce fut elle qui brisa le silence. Mais elle entendit les paroles sortir de sa gorge comme si quelqu'un d'autre avait parlé.

— Vous n'avez pas laissé repousser votre barbe...

— Pour l'instant je préfère rester ainsi, répondit-il. Que vouliez-vous me dire ?

— Vous expliquer pourquoi je vous ai... caché mon jeu.

— Il faudra plutôt m'expliquer pourquoi vous vous êtes servie de moi.

L'indicateur de vitesse oscillait dangereusement vers la droite. Elle pensa un instant attacher sa ceinture puis se ravisa. Ce n'était pas le moment de lui faire croire qu'elle avait peur de lui.

— J'ai eu tort de...

— Non, Erica, dispensez-vous des excuses vagues et venez-en aux faits. Vous m'avez laissé parler de Karen tant que j'ai pu et vous restiez là à m'écouter sans rien dire. Le Dr Jordan devait bien s'amuser à ce moment-là !

— Jess, je ne voulais pas vous entendre parler de Karen. J'ai essayé de vous faire changer de conversation. Dès que j'ai compris qui vous étiez, j'ai su quels dangers allaient s'abattre sur... nous.

— Vous avez menti, Erica.

134

— Si vous voulez, mais j'avais une bonne raison. Que se serait-il passé si je vous avais dit que j'étais Erica Jordan ou même, seulement, une psychologue, quand je savais vos préventions contre mon métier ? J'étais en vacances et je n'avais pas envie de me battre avec vous pour me justifier.

Il doubla à droite une voiture qui n'avançait pas assez vite à son goût.

— Vous avez dû bien vous amuser, tout de même, Erica, en me faisant croire que...

Il s'interrompit mais la jeune femme crut savoir ce qu'il voulait dire.

— Je ne vous ai rien fait croire ! s'exclama-t-elle, j'étais sincère, Jess !

— Pendant deux semaines, sans plus.

— Il fallait que cela cesse. Quand j'ai compris que vous étiez le frère de Karen, j'ai su que nous n'avions aucune chance de nous entendre.

— Et vous vous êtes esquivée.

— Non. Nous nous sommes dit au revoir ; je n'ai fait que respecter notre décision à tous deux.

— Mais vous étiez la seule à en connaître les véritables raisons. Vous auriez pu me dire la vérité, Erica. Où était le professionnalisme vanté par votre pauvre directeur ? Ou ne savait-il que trop bien de quoi il parlait ?

Elle eut envie de le gifler pour cette insinuation mais se mordit les lèvres, consciente qu'il était encore trop exaspéré pour se comporter raisonnablement.

Il conduisait de plus en plus vite, comme s'il

voulait la punir en lui faisant peur, au risque de provoquer un accident.

Elle ferma les yeux, tenta de parler calmement :

— Au club, je pensais en femme, pas en psychologue. Si j'ai commis des fautes, c'était par omission. Parce que je tenais à vous j'ai décidé de ne pas vous révéler...

— La vérité.

Ils venaient de passer en trombe devant la fondation Murdock et cette fois Erica commença vraiment à se demander où il allait. Peut-être nulle part, tout comme cette conversation hachée qu'elle n'osait poursuivre de peur de la voir dégénérer en conflit sans appel. C'était sans doute ce qu'il cherchait et elle refusait de tomber dans ce piège même si, pour cela, il lui fallait avaler les pires calomnies.

Il passa les portes de Cascades Hills en adressant un signe aux gardiens, dépassa quelques villas cossues, une piscine bordée de tennis et s'arrêta devant un petit immeuble d'un étage.

Il ouvrit sa portière et sortit.

— Eh bien ! Vous ne venez pas ?

— Merci pour l'aimable invitation. Vous habitez ici ?

Son regard disait assez que oui.

— Vous ne vouliez tout de même pas que nous allions vider notre querelle chez Murdock ?

Elle le suivit sans répondre, espérant qu'il ne lisait pas trop sur son visage l'émotion de découvrir où il habitait. Comme pour tout ce qui le concernait, elle avait souvent essayé d'imaginer sa demeure et prenait plaisir à s'y retrouver maintenant, malgré les circonstances. Tous les appartements donnaient sur le parc mais chaque entrée avait son porche pour se donner un petit air d'indépendance.

Il ouvrit la porte, pénétra dans un vestibule tout de vitres et de miroirs, décoré de multiples plantes vertes et prit un ton de guide mal payé, faisant visiter une riche touriste :

— Murdock m'a trouvé cet endroit à mon arrivée, il y a six ans, et je m'y suis installé sans visite préalable. Ce sont les propriétaires qui s'occupent des plantes, ajouta-t-il avec un geste vague de la main.

Enfin, Erica vit ce qu'elle attendait. C'était tout Jess, dès le premier coup d'œil, cet appartement d'homme qui n'a pas de temps à perdre. Parfaitement rangé et organisé, conçu pour le repos. Les rayons de la bibliothèque débordaient de livres en tous genres et la collection de disques s'élevait très haut. Des peintures, des dessins, des aquarelles de bateaux étaient accrochés aux murs blanc cassé. Les meubles étaient bas, modernes et, comme tout le reste de la pièce, impeccables.

— La femme de ménage vient une fois par semaine, expliqua-t-il.

Son bureau jouxtait le living ; Erica aperçut un ordinateur sur un grand bureau de chêne. Une imprimante paraissait prête à déverser ses informations et une pile imposante de listings occupait déjà une partie de la table.

— J'ai entendu parler de vos travaux chez Murdock. C'est impressionnant.

Il haussa les épaules.

— En tout cas, c'est important.

Il ôta sa veste, desserra sa cravate et regarda Erica, perplexe.

— Je ne vois pas très bien ce que nous pouvons faire, maintenant que nous sommes ici !

Elle se rappelait leur première soirée ensemble, quand ils avaient tant de choses à se dire.

— Nous avons à parler, sans être dérangés, calmement.

Jess ayant visiblement passé sa colère en appuyant sur l'accélérateur, Erica se sentait maintenant plus à son aise.

— Je vous offrirais bien un verre mais je n'ai pas de rhum canari.

— Il est beaucoup trop tôt pour ce genre de consommation.

Il ignora la remarque et se versa un verre d'alcool qu'il déposa sur un guéridon sans y toucher. Erica s'était assise sur le canapé, un peu gênée, tandis que Jess restait debout, également mal à l'aise.

Comme il ne servait à rien d'attendre, elle décida de parler la première.

— Je me demande si votre colère contre le Dr Jordan — même avant que vous ne sachiez la vérité — ne venait pas d'une tout autre raison. Peut-être étiez-vous en désaccord avec vous-

138

même parce que vous ne parveniez pas à influencer Karen.

Elle sut aussitôt qu'elle avait commis une erreur.

— Il est vrai que je suis sous le regard d'une célèbre psychologue! observa-t-il sarcastique. J'apprécie d'autant plus que vos consultations ne sont sûrement pas gratuites, mais je dois vous rappeler que je ne suis pas intéressé par une thérapie.

De nouveau ses yeux étincelaient de colère, ses mâchoires se serraient. Elle avait vu si juste qu'elle venait de le frapper au cœur de son amour-propre.

— Je ne cherche pas à vous analyser, Jess, mais je me demande pourquoi vous êtes si...

Seuls des termes cliniques lui venaient à l'esprit. Elle préféra poursuivre sur un autre sujet :

— Pourquoi êtes-vous si contrarié par le fait que Karen me téléphone ?

— Elle est jeune et très influençable! Si quelqu'un doit la conseiller c'est moi, et moi seul, parce qu'elle est ma sœur et que j'en suis responsable.

Il ajouta d'un ton condescendant :

— Je sais ce dont elle a besoin, Erica.

— Vous pensez qu'il est mieux pour elle de quitter son travail et de retourner à ses études ?

— Evidemment.

— Et cela vous surprendrait-il si je disais que je suis de votre avis ?

— Je pensais que vous l'aviez engagée à...

Il n'acheva pas sa phrase et s'assit sur le canapé, non pas près d'elle, mais à l'autre extrémité.

Elle secoua la tête, se sentant de plus en plus sûre d'elle. Si elle parvenait à convaincre Jess de sa sincérité envers Karen, elle pourrait alors retrouver sa confiance. Au moins sur un plan amical ; elle ne pouvait espérer plus, désormais.

Un instant elle ferma les yeux, cherchant comment s'exprimer sans provoquer une nouvelle explosion de colère. Puis elle le regarda, prit sa main pour établir le lien qui leur manquait encore.

— J'ai simplement dit à Karen qu'elle devrait se trouver un bon thérapeute pour l'aider à résoudre ses problèmes. Car elle en a, Jess. C'est à elle de décider, en dernier ressort, si elle continue avec Tony, si elle reprend ses études ; personne ne doit lui forcer la main. Le jour où elle aura choisi, il n'y aura rien à y redire, Jess. Elle sera responsable de sa propre vie.

— Karen responsable ? Et combien de temps lui prendra une telle transformation ? Des mois ? Des années ?

Il parlait d'un ton si cassant qu'elle préféra retirer sa main de la sienne. Elle devait se montrer intransigeante.

— Il lui faudra du temps, c'est certain. Mais tout d'abord elle a besoin d'un bon psychothérapeute.

— Erica, j'ai l'impression que vous n'avez

rien compris. Ce qu'il lui faut, en dehors d'une bonne fessée, c'est une vie ordonnée, des directives. Elle doit commencer par quitter Hollywood, ce milieu, et bien sûr ce garçon. Elle doit terminer ses études. Elle n'est pas malade, elle est trop débridée.

— C'est vous qui le dites, Jess, pas forcément elle.

— Ecoutez, Erica, je me charge de ma sœur maintenant. Je ne veux plus de ces échanges sur l'antenne. Filtrez les appels, coupez les communications, faites ce que vous avez à faire, je m'occupe du reste.

Les yeux noisette d'Erica étincelaient de colère. Il ne l'avait même pas écoutée. C'était un homme impossible.

— Je me demande ce que je vous ai trouvé au club, déclara-t-elle sans plus mettre de gants. Je vous savais têtu et intolérant, maintenant je m'aperçois que vous êtes rigide et sectaire. Figurez-vous que j'ai cherché plusieurs fois à me représenter ce frère dont me parlait Karen. Je le voyais comme un célibataire étroit d'esprit qui ne pensait qu'à lui...

— Et vous estimez que vous ne vous étiez pas trompée. Vous croyez qu'il n'y a rien de commun entre nous !

— J'en suis certaine. Nous ne serons même pas amis ainsi que je l'avais espéré !

Il la regarda longuement, comme s'il était en train d'examiner un nouveau spécimen au microscope. Elle respirait à nouveau calmement, résignée à ne jamais sortir de l'impasse où ils s'étaient fourvoyés. Sa poitrine se soulevait doucement sous la fine batiste de son chemisier... Cette vision, accompagnée tout à coup d'un flot de souvenirs exquis, mua la colère de Jess en désir.

Alertée par ce changement d'attitude, Erica voulut se lever ; mais, déjà, Jess avait tendu la main pour lui caresser la joue, puis le cou.

— Je me rappelle certaines choses que nous avions en commun.

Elle lui répondit, en se détournant, d'une voix si basse qu'il ne put la comprendre.

— Erica, que dites-vous ?

Elle demeura silencieuse et immobile.

Il la prit par l'épaule, l'incita à se retourner. Mais elle résistait.

— Erica ?

Soudain, elle se décida à le regarder droit dans les yeux.

— J'ai dit que tout était fini maintenant. Et puis, ce ne serait vraiment pas le moment...

Il sourit. Son premier sourire depuis le club, à la foix heureux et déterminé : elle en ressentit un frisson.

Sa main glissa de l'épaule au bras qu'il saisit fermement.

— Je suis toujours aussi en colère, énonça-t-il froidement, mais mon désir l'emporte. J'ai envie de vous, terriblement.

Il l'attira à lui.

Elle savait qu'en lui résistant elle ne ferait

142

qu'exaspérer un désir qui la gagnait elle aussi. Mais elle n'était pas une gamine qui s'abandonnait à ses premiers émois. Il méprisait tout ce qu'elle faisait, tout ce qu'elle était, ne cherchait qu'à la dominer. Elle décida de rester passive et distante à la fois jusqu'à ce qu'il se lasse.

Ses mains glissaient le long de son corps, des mains familières, douces mais ni hésitantes ni tendres comme elle les avait connues ; elles devenaient, au contraire, expertes et décidées. Mais c'étaient les mains de Jess et elle commençait à sentir faiblir sa résistance. Pourtant, sa voix resta calme tandis qu'elle se dégageait lentement et s'asseyait sur le bras du canapé.

— Nous ne sommes plus au club, Jess. Le rêve est fini, maintenant. Nous nous connaissons bien désormais et nous savons que nous ne sommes pas faits l'un pour l'autre. A moins que nous ayons mal interprété ce que nous avons appris.

Elle disait cette dernière phrase à son adresse, en sachant bien qu'il n'y prêterait pas attention.

— Je le répète, Jess, ce n'est pas le moment.

Elle baissa la tête pour le regarder.

C'est alors qu'il l'embrassa. Un baiser léger, presque évasif mais auquel elle succomba parce qu'elle y retrouva Jess. Il recommença, avec une ferveur un peu brutale qui l'effraya et la fit reculer.

— Ce n'est pas ainsi que nous résoudrons nos problèmes, Jess. C'est faux, c'est calculé, ce n'est qu'une parenthèse...

Il l'empêcha de continuer en la bâillonnant

avec sa bouche et elle s'efforça simplement de ne pas lui répondre, de ne pas réagir à ces lèvres ardentes. Malgré elle, son souffle s'accélérait. Le bonheur de retrouver ce corps puissant sur le sien, ce torse dont elle reconnaissait chaque muscle, muselait peu à peu sa détermination. Elle sut, lorsqu'elle laissa échapper un léger gémissement, qu'elle avait perdu, pour cette fois tout au moins. Rien n'avait changé, rien n'avait été résolu mais elle ne pensait plus qu'à aimer cet homme qui brûlait du désir de la retrouver et qu'elle ne pouvait s'empêcher d'accueillir avec bonheur.

Elle prit son visage entre ses mains et l'embrassa. Ils tombèrent enlacés sur le canapé en poussant un double soupir de victoire.

Il ne se redressa que pour lui permettre de se débarrasser de son jean serré qu'il envoya voler au loin comme s'il la libérait de ses dernières défenses.

Il l'aida à passer son chemisier par-dessus sa tête, trop impatient pour le déboutonner et elle resta soudain nue sous son regard.

Un instant, elle éprouva un mélange de trouble et de ressentiment qu'il ignora tandis qu'il défaisait son ceinturon sans la quitter des yeux.

Elle se jeta dans ses bras, car elle voulait sentir ses mains sur elle, elle voulait qu'il la caresse, qu'il l'attire à lui et la retienne !

Elle fut comblée bien qu'elle n'eût pas su dire si c'était de l'amour ou un simple désir qu'il assouvissait là ; mais elle n'en avait cure, tant il y mettait de passion.

— Je vous désire, Erica. J'ai pensé à vous, à ce moment, des milliers de fois. Vous rappelez-vous ?

C'est en souvenir d'hier et non dans l'ivresse du moment présent qu'elle s'écria :

— Oui, oui !

Parce qu'elle se rappelait, en effet. Et elle voulait désespérément voir revenir ces moments passés, doux et torrides tout à la fois.

Elle entra dans son rêve et l'emmena avec elle, là où ils n'auraient jamais pu retourner s'ils n'avaient eu le don de s'évader hors du temps.

Quand, tous deux apaisés, il retomba à côté d'elle, elle détourna son visage, baigné de larmes.

## Chapitre 9

Aux derniers rayons du soleil couchant, Jess cessa malgré lui de contempler Erica ; il se rendit dans la salle à manger, écarta les chaises de la table et déplia une nappe qui n'avait pas dû servir deux fois depuis qu'il était ici. Il y déposa ensuite deux chandeliers de cuivre et sourit en les allumant. Ce n'était pas ce qu'il avait l'habitude de faire mais il n'avait pas non plus l'habitude de voir Erica cuire des œufs brouillés dans sa cuisine. Il mit un disque et alluma une lampe dans le dernier coin sombre avant de retourner auprès de la jeune femme.

Comme elle versait les œufs dans un plat, il ajouta à la salade une pincée d'origan et une de basilic. Ils portèrent le tout sur la table.

Il regardait Erica depuis une demi-heure. Pas une fois elle n'avait ouvert la bouche, si ce n'est pour répondre à ses questions par quelques monosyllabes. Elle resplendissait de beauté, cependant. Elle avait pris une douche, ôté le peu de maquillage qui lui restait du matin et tiré ses cheveux en arrière, ce qui faisait ressortir sa beauté naturelle. Pourtant, elle paraissait complètement désemparée.

— Qu'y a-t-il, Erica ?

Comme elle ne répondait pas, il hasarda :

— Est-ce que... je vous ai... déplu, tout à l'heure ?

— Non, Jess, jamais.

— Mais, alors ?

— Je ne sais pas.

En fait, son trouble venait d'elle-même, parce qu'elle s'était abandonnée à lui quand elle aurait dû lui résister ; mais elle préféra n'en rien dire.

— Vous n'étiez pas comme avant, expliqua-t-elle sans conviction.

— Vous non plus, rectifia-t-il. Nos rêves du club n'avaient rien à voir avec la réalité d'aujourd'hui. Vous-même l'avez toujours affirmé, Erica. Cela ne devrait pas vous surprendre !

— Non, en effet. Peut-être espérais-je au moins retrouver quelques sensations éprouvées là-bas, quelques sentiments auxquels je tenais.

— Les miens sont très mélangés, Erica.

— Je sais. C'est la même chose pour moi. Nous sommes revenus au point de départ et il reste une quantité de points à éclaircir. Comme vous et cette musique...

Elle sourit et entama sa salade, s'aperçut qu'elle avait très faim.

— Wagner.

Elle hocha la tête.

— Je pensais que vous préfériez les fugues bien équilibrées et les préludes ordonnés.

— Cela dépend des moments. Mais, souvenez-vous : Bach a inspiré Wagner. Cependant, l'un comme l'autre sont loin du romantisme de Tchaïkovski.

Elle rit.

— Je parie que vous ne l'aimez pas.

Ils parlèrent musique tout au long du dîner puis débarrassèrent la table, replièrent la nappe qui regagna son tiroir où, se dit Jess, elle allait de nouveau passer quelques années.

Ils se retrouvaient presque comme avant, ensemble, bavardant sans hausser le ton. Et pourtant, rien n'était plus pareil.

— S'il n'y avait pas cette histoire avec Karen, déclara-t-il soudain gravement, nous aurions peut-être pu reprendre là où nous en étions restés.

Elle n'en était pas si sûre.

— Je me demande sur quoi nous pourrions fonder nos relations. Je crois que tous deux nous avons été déçus. Moi, à cause des transformations qu'allait apporter la réalité quotidienne, ainsi que je m'y attendais. Vous, parce que je ne vous ai pas tout dit.

— C'est plus que ça, Erica.

Il se leva et se mit à marcher de long en large à travers la pièce.

— J'ai téléphoné à Sally, dit-il. Je vous cherchais.

Elle en parut surprise.

— Mais j'ai fait plus que téléphoner, poursuivait-il. Je vous ai vraiment cherchée partout. Avant, même, d'être rentré, d'ailleurs. J'ai passé la dernière matinée au club à courir après vous ;

j'ai interrogé tout le monde, puis j'ai pris un taxi en catastrophe pour me précipiter à l'aéroport... Erica, je tenais à vous, alors je vous poursuivais, désespérément. Quand j'ai fini par baisser les bras, vous étiez là, dans ces studios de radio. Je ne me suis pas fâché seulement à cause de Karen; je le suis surtout parce que vous qui pouviez vous manifester, vous ne l'avez pas fait.

Lui, l'indépendant, le farouche, il l'avait suivie à l'aéroport, il avait remué ciel et terre pour la revoir. Pendant qu'elle s'efforçait de le chasser de son esprit, de ne plus penser à lui, il n'avait, lui, songé qu'à elle. Et, tout d'un coup, elle admettait qu'elle n'avait pas agi sagement en partant la première; elle avait été lâche par peur de souffrir. Elle comprenait pourquoi il avait pu se sentir trahi, et une lueur d'espoir s'alluma en elle. Peut-être... peut-être... ce n'était pas impossible, mais ce serait long, et Karen ne serait pas le seul obstacle.

Elle ne lui avoua pas combien elle s'était sentie seule, quelques instants auparavant, combien elle avait eu l'impression d'agir sans amour.

Comme s'il percevait son désarroi, il dit exactement les paroles qu'elle attendait pour être rassurée :

— Maintenant que je vous ai retrouvée, nous n'allons pas nous en tenir là. Nous devons essayer de redevenir ce que nous avons été.

Elle se taisait et il se demanda si elle l'avait entendu.

— Erica ?

— Si seulement nous pouvions recommencer, dit-elle.

— Pourquoi pas ? Bien sûr que oui !

— Je veux dire : revenir au tout début, bien avant de nous être aimés.

Il fronça les sourcils.

— Nous sommes allés si loin sans nous connaître, Jess. Peut-être devrions-nous prendre un peu de recul. Commencer par être des amis.

— Seulement des amis ?

Elle hocha la tête.

— Je ne crois pas que j'en aurai le temps, Erica.

— Si nous avons le temps de recommencer, nous avons le temps de devenir amis.

— Je suis trop vieux pour ça.

— Ou trop entêté ?

— Peut-être trop vaniteux.

Il lui caressa tendrement le visage.

— Je ne crois pas que je pourrais m'en contenter.

Elle le laissait promener sa main sur sa joue, les yeux au fond des siens.

— Je comprends ce que vous voulez, continuait-il. Nous sommes toujours allés trop vite en tout. Nous méritons mieux. Je ne suis pas un soupirant très doué, mais j'essaierai. Pas trop longtemps, ajouta-t-il avec un sourire.

— Pas trop longtemps, reprit-elle. Nous nous ouvrirons d'autres horizons, rencontrerons nos amis respectifs.

150

Elle se sentait joyeuse tout d'un coup.

— J'ai très peu d'amis, Erica.

— Vous en avez quelques-uns.

— Charlie et Carole Levinson.

— J'aimerais les connaître.

— Entendu ! admit-il soudain. Je veux bien essayer.

Il parvint même à la surprendre vraiment.

— Aimez-vous le base-ball ?

— Ne me dites pas que cela vous plaît !

— Vous avez beaucoup à apprendre. Charlie a des billets pour le match du prochain week-end et il m'a demandé de venir accompagné. Nous allons vérifier si vous êtes vraiment décidée à m'accepter tel que je suis !

— Même si les places sont mauvaises, je vous suis !

— Ah ! Attention aux courbatures !

Plus sérieusement, il poursuivit :

— Il y a autre chose : je n'ai pas beaucoup de temps libre. Mon travail m'accapare beaucoup.

— Le mien aussi, Jess, et il est aussi important que le vôtre. J'espère que vous essaierez de le comprendre.

— J'essaierai.

Il ne promettait pas, toutefois, d'y parvenir.

— Ce qui nous ramène à Karen, dit-elle.

— Je ne veux plus l'entendre sur les ondes.

— Je ne puis vous le promettre que si je la soigne moi-même.

Il s'assit, la regarda d'un air soucieux.

— D'habitude, poursuivait-elle, je refuse de

rencontrer les auditeurs de mon émission mais dans ce cas précis, je me sens responsable. Elle a refusé de retourner voir le thérapeute que je lui avais conseillé et j'ai bien peur de devoir la recevoir moi-même.

Jess paraissait sceptique.

— Laissez-moi la voir, avec Tony, pendant six semaines, insista-t-elle, et nous en reparlerons. Vous pouvez me faire confiance, Jess.

— Elle ne passera plus sur l'antenne ?

Elle hocha la tête.

— Je reconnais qu'elle a pris trop d'importance dans mon émission. Elle ne téléphonera plus.

— On dirait que votre présence ruine ma volonté ! Mais je veux bien faire un essai. La situation ne peut être pire qu'en ce moment.

— Merci pour cet élan de sincérité !

Elle lui déposa un baiser sur la joue et regarda sa montre.

— Presque sept heures. Pourriez-vous m'amener à la gare ? Il faut que je repasse au bureau voir s'il n'y a pas de messages.

Il s'étira.

— Et moi je dois reprendre mon travail. Je n'ai rien fait aujourd'hui, mais je ne m'en plains pas !

Elle se leva.

— Nous sommes deux très intéressantes exceptions à la règle du club !

— Ce n'est pas prouvé, Erica !

Il ne plaisantait qu'à moitié.

152

Deux jours plus tard, Karen s'asseyait nerveusement dans le profond canapé du cabinet d'Erica. Elle s'était montrée si impatiente de commencer ses séances avec son idole que la psychologue avait dû reporter d'autres rendezvous pour la prendre plus vite, et Tony avait accepté de l'amener de Los Angeles.

— Il arrivera dans une minute! dit l'adolescente.

Elle ne paraissait pas aussi sûre d'elle qu'elle le prétendait.

— Il m'a déposée un peu plus tôt pour pouvoir rencontrer un ami qui aurait un travail à lui proposer.

Il l'avait, en fait, déposée avec une heure d'avance et elle patientait, depuis, sur son canapé, pendant qu'Erica recevait un autre patient.

— Il aura peut-être du travail par ici pendant les week-ends, continuait-elle à expliquer fébrilement.

Elle attendait ce moment depuis si longtemps qu'Erica se demandait si elle n'allait pas être déçue par cette première séance.

Elles venaient de faire connaissance de la façon la plus simple du monde. Erica lui avait expliqué, d'emblée, pourquoi ce n'était pas sa photo qui ornait la couverture de son livre.

— Je vous trouvais si belle! avait commenté Karen. Mais vous êtes encore mieux!

Karen aussi était ravissante, malgré ce que lui

avait dit Jess, mais elle aurait dû se douter qu'il était partial. Ses cheveux étaient d'un joli blond cendré. Loin d'être massacrés, selon l'expression de Jess, ils avaient une jolie coupe qui soulignait la structure délicate du visage.

Karen paraissait aussi fragile que sa voix et mesurait à peine un mètre cinquante-cinq. Jess avait eu au moins raison sur un point : elle devait peser au maximum quarante-cinq kilos avec des vêtements mouillés. Sa seule ressemblance avec son frère frappait aussitôt : ses yeux profondément bleus, qu'elle soulignait de khôl, sous d'épais cils noirs et de larges sourcils bien droits. Par ce seul regard, Erica l'aurait reconnue entre mille.

Karen ne se détendit qu'au bout de dix minutes de séance, parce qu'elle commençait à oublier Tony. Toutes deux se disaient qu'il ne viendrait plus quand enfin il apparut.

— Alors c'est vous dont j'ai tellement entendu parler !

Un sourire étirait ses lèvres pleines. Son visage déplut aussitôt à Erica qui le trouva enfantin et sournois.

Elle s'efforça cependant de ne pas tenir compte de cette fâcheuse impression et lui rendit son sourire.

— Je suis contente que vous ayez pu venir.

— Normal, j'avais promis !

Il s'effondra sur le canapé, étira avec nonchalance ses longues jambes revêtues de cuir noir.

— Ce qui compte pour Karen compte pour moi aussi.

Elle comprit la stratégie : tant qu'il ne se sentait pas menacé, il faisait son grand numéro de charme. Elle décida de le laisser parler un peu, afin de se faire une meilleure idée de son caractère. Dès qu'il se lança sur sa musique, il passa une main dans ses épais cheveux noirs, coupés court dans le même style que ceux de Karen. Tous deux se tenaient la main, comme deux enfants perdus au milieu des années quatre-vingt.

— J'aimerais que vous me disiez ce que vous attendez de ces séances...

Tony l'interrompit :

— Je regrette que le frère de Karen, le grand docteur qui sait tout mieux que personne, ne soit pas ici !

— C'est vrai, renchérit Karen. Jess croit que j'ai encore douze ans.

— Et vous n'avez trouvé aucune différence ces dernières semaines ? demanda Erica.

— Il est rentré de je ne sais où. Il avait tellement l'air préoccupé par son travail qu'il m'a oubliée. Mais l'autre jour il a recommencé ; tout ce que je faisais lui paraissait lamentable.

Erica comprit vite que les deux jeunes gens essayaient de détourner leurs problèmes.

— Bien, dit-elle. Au lieu de critiquer ou de blâmer qui que ce soit, nous allons commencer par chercher des moyens positifs d'améliorer la situation.

Elle prit une longue inspiration.

— Tout d'abord, Karen, savez-vous pourquoi j'ai accepté de vous recevoir dans mon cabinet ?

— Vous en aviez sans doute assez de m'entendre au téléphone ?

— Pas du tout ! dit-elle avec un sourire. J'ai pris ma décision à cause de votre frère. Je connais Jess.

Les yeux bleus de Karen s'arrondirent, mais pas un son ne lui échappa.

— Nous nous sommes rencontrés par hasard et je n'ai découvert que beaucoup plus tard qu'il était votre frère. Par amitié pour lui, et pour vous, j'ai donc décidé de m'occuper personnellement de votre cas, ce qui n'est pas dans mes habitudes, comme je vous l'ai déjà dit.

— Vous connaissez Jess ?

Karen avait retrouvé sa voix et elle paraissait plus voilée que jamais.

Soudain tendu, Tony serrait les mâchoires.

— Quelles sont vos relations avec lui ? Ah ! Je sens le piège !

Il avait lâché la main de son amie pour se redresser, sur la défensive.

Erica s'était attendue à cette réaction.

— Je comprends que vous puissiez vous sentir déçus, peut-être même trahis, mais il n'y a aucun piège. Il n'y a rien d'illégal, ni même de surprenant à ce qu'une thérapeute soit amie avec la famille d'un de ses patients. Parfois c'est inévitable.

156

— Et vous irez lui faire votre rapport tous les soirs, c'est ça ? persifla Tony.

— Il n'en est pas question. D'ailleurs le Dr Ingram a promis de ne plus intervenir dans la vie de Karen tant qu'auront lieu ces séances.

— Qui nous le garantit ?

— Ma parole, Tony. Il faudra me faire confiance.

— Ça ne me suffit pas.

Il se leva, se tourna vers Karen.

— Je m'en vais.

Elle restait assise, encore incrédule. Erica devina sa détresse. À qui allait-elle accorder sa confiance ?

Tony cherchait à l'influencer.

— Viens, Karen. On s'est moqué de nous, encore une fois.

Karen ne bougeait pas. Erica et Tony attendaient, ce dernier brûlant d'impatience et de colère ; elle, inquiète de voir la situation se compliquer.

Et tout d'un coup, la petite voix rompit le silence, fluette mais ferme.

— Tu te trompes, Tony. Je sais que je peux avoir confiance dans le Dr Jordan. Quant à Jess... si tu avais entendu ce qu'il dit d'elle...

Elle leva soudain les yeux sur Erica, comme pour demander si elle était au courant des opinions de Jess.

— C'est d'ailleurs le plus difficile à croire... ajouta-t-elle avant de se taire à nouveau.

— Je connais les idées de votre frère à propos des psychologues, Karen.

— Alors, lança Tony, tu viens ou non ?

— Je ne sais pas.

Elle hésitait entre son désir si longtemps caressé de commencer enfin à travailler avec le Dr Jordan et sa tendance naturelle à suivre un Tony qui piaffait.

Elle baissa la tête et la jeune femme crut voir deux larmes perler au coin de ses yeux tandis qu'elle annonçait sans faiblir :

— Je reste. Et j'aimerais que tu en fasses autant. Je sais que le Dr Jordan peut nous aider.

— Tu fais ce que tu veux ; moi je file.

Il n'était pas très grand mais savait donner de l'importance à son allure. Il ouvrit grand la porte avant de lancer :

— Salut, toubib ! C'était super !

Dans le silence qui suivit son départ, Karen se mit à pleurer.

Erica s'approcha d'elle.

— Je suis navrée, mais je crains que ceci n'arrange pas vos relations avec Tony. Cependant, je devais vous mettre au courant pour Jess et moi. Je tiens à fonder nos rapports sur une totale confiance, même si cela doit nous faire courir quelques risques.

— Je sais, docteur, et j'ai confiance en vous.

— Vous venez de prendre une grande décision toute seule ; c'est un premier geste qui vous permettra peu à peu d'apprendre à devenir autonome.

158

— Je l'espère, parce qu'il faut que je me connaisse bien avant de décider pour Tony et moi. Mais je souhaite tout de même qu'il ne soit pas retourné seul à Los Angeles.

— Il doit vous attendre dehors. Il voudra sûrement savoir ce que nous nous sommes dit.

— Pourvu que oui. Je l'aime vraiment, docteur !

— Eh bien, allons-y ! Parlez-moi de vous et de votre cher Tony.


— Vous l'avez déjà vue ? demanda Jess surpris. Vous n'avez pas perdu de temps !

— Karen était prête. Elle désire vraiment s'en sortir.

— Souhaitons que ces séances lui fassent du bien. Moi je reste en dehors pour l'instant. Je tiens ma promesse.

Il regarda Erica.

— Et je reconnais que vous paraissez vous en sortir avec panache !

Ils attendaient Charlie et Carole Levinson à l'entrée du stade Angel. Jess surprit Erica en lui offrant une casquette de supporter qu'elle s'empressa de porter ; elle lui couvrait les oreilles et lui donnait l'air d'avoir quinze ans, pensa Jess en resserrant un peu l'élastique à l'arrière. Puis il posa un baiser sur les lèvres roses d'Erica.

Comme s'il venait de commettre une incongruité, il recula brusquement.

— C'est la première fois de ma vie que j'embrasse une femme en public !

— Vous voilà romantique malgré vous !

Il chassa d'un geste gêné l'idée qu'impliquait cette remarque.

— Venez, ou nous allons manquer le coup d'envoi !

— Est-ce donc si important ?

— Pas plus que de commencer un roman à la première page !

Il la prit par la main et l'entraîna vers la foule qui se pressait aux entrées.

— Et les Levinson ?

— Carole est toujours en retard. C'est une femme libérée.

C'était son premier commentaire au sujet de Carole ! Et la jeune femme était impatiente de faire sa connaissance pour vérifier à quel point il se trompait, compte tenu de son attitude avec sa sœur.

Cette fois, il avait raison. Carole devint tout de suite une merveilleuse amie pour Erica ; elle s'assit près d'elle et se lança immédiatement dans une joviale conversation :

— Je suis ravie de vous rencontrer enfin ! Jess ne nous a absolument rien dit de vous, ce qui n'a rien d'étonnant. Alors nous allons vite devoir combler ces lacunes !

— Je vous préviens, intervint Charlie, elle n'a aucune intention de suivre le match !

Il tendit la main à Erica.

— Bonjour tout de même, Erica. Comme Jess ne nous a pas parlé de vous, je m'attendais au pire. La surprise est plutôt agréable !

— Charlie ! Sois plus aimable !

— Je l'ai pris comme un compliment ! dit Erica en souriant.

— Et vous avez eu raison.

Il commanda des hot dogs et des jus d'orange pour tout le monde et s'installa confortablement pour bien profiter du match.

C'était un grand homme aux épaules larges dont la chemise commençait à s'étriquer sur un estomac trop rebondi alors que sa femme restait svelte, fine, soignée et portait court des cheveux prématurément gris.

— J'ai voulu faire venir les enfants, mais Chuck est à un concert et Stephie a préféré faire des courses.

— Comme d'habitude, commenta Charlie.

— Notre fille a dix-sept ans, ajouta Carole, et elle est follement amoureuse de Jess.

— Moi qui me désolais tant, à cet âge-là, de n'avoir aucun succès auprès des filles ! plaisanta ce dernier.

Erica continuait à regarder et à écouter, ravie de voir les trois amis s'interpeller gaiement.

— A propos d'adolescents, où en est Karen ? demanda Charlie.

— Demande à Erica. Elles se voient toutes les semaines.

— Erica ?

— Je suis psychologue. Je suppose que Jess ne vous l'avait pas dit.

— Vous savez bien qu'il ne raconte jamais rien ! renchérit Carole. Et surtout pas que l'Erica

161

Jordan qui nous accompagne ce soir est le célèbre Dr Jordan. Je ne me trompe pas ?

Erica acquiesça ; Carole expliqua à son mari :

— Le Dr Jordan, en effet, de l'émission de radio Apel.

— Et vous vous occupez de Karen ? Je vous souhaite bon courage ! J'ai l'impression qu'il est encore plus facile de supporter le frère !

Sans attendre de réaction, Charlie se leva pour mêler sa voix aux cris du stade en délire.

— C'est donc ainsi que vous vous êtes rencontrés ? demanda Carole, grâce à Karen ?

— Non. Jess ne vous a pas raconté ?

Erica arborait un sourire malicieux, certaine de la réponse qui allait fuser :

— Jess ne nous raconte jamais rien !

— Nous avons fait connaissance au club Capricorn.

— Au club Capricorn ?

Charlie se détacha du jeu tant la nouvelle lui paraissait intéressante.

— C'était donc vous la femme extraordinaire qui est parvenue à lui faire raser sa barbe ? Savez-vous au moins ce que vous avez fait, Erica ?

— Ce n'est pas moi qui parviendrai à faire pousser la tienne ! plaisanta sa femme.

Ils continuèrent à se taquiner l'un l'autre comme si personne n'existait autour d'eux, sous le regard rêveur et quelque peu envieux d'Erica qu'une si tendre complicité émouvait profondément.

Le score était de six-zéro en faveur des Angels, mais les deux femmes se préoccupaient peu du jeu, trop avides de se découvrir l'une l'autre.

— Nous allons vous attendre au bar du club, dit Carole en se levant. Nous pourrons y bavarder plus tranquillement. Vous nous retrouverez là-bas.

— Mais, Carole, dans cette foule...

— Débrouille-toi. C'est moi qui ai les clefs de la voiture !

Elles partirent en riant et furent heureuses de se retrouver peu après, au calme, devant une tasse de café.

Carole était directrice d'une maison de retraite et invita sa nouvelle amie à venir s'entretenir avec ses pensionnaires la semaine suivante. Beaucoup écoutaient l'émission du Dr Jordan et seraient certainement heureux de la rencontrer en personne.

Elles parlaient de Jess quand elles apprirent que le jeu se terminait sur le score de neuf à deux.

— Il ne nous a jamais présenté ses conquêtes !... Elles ont été très nombreuses, reconnut honnêtement Carole, mais n'ont jamais duré longtemps. Elles ne devaient pas supporter son emploi du temps. Ou bien il ne s'intéressait pas beaucoup à elles et ne faisait aucun effort. Le moins qu'on puisse dire c'est qu'il est un homme assez différent des autres ; mais si l'on sait patienter, on découvre quelqu'un d'extraordinaire.

— Un cœur d'or ? plaisanta Erica.

— Un diamant brut ! Mais un diamant tout de même.

La nuit était assez fraîche et, lorsque Jess ramena Erica chez elle, elle le fit entrer et lui offrit un brandy. Il s'installa dans le canapé. Il se sentait bien avec elle ; bien dans sa maison.

Ils parlèrent des Levinson, décidèrent de faire du ski nautique sur le lac Mead lorsqu'il ferait plus beau et, n'y tenant plus, Erica demanda soudain pourquoi il ne leur avait jamais rien dit d'elle.

— Même pas que nous nous sommes rencontrés au club Capricorn !

— Je n'allais pas raconter à Charlie que j'avais fait la connaissance d'une femme dont j'ignorais le nom ! Quant à la façon dont nous nous sommes revus à la radio, c'était encore moins crédible. Nous n'avons pas des relations faciles, convenez-en ! Et puis, il s'était assez moqué de moi au sujet de ma barbe !

Erica se mit à rire et s'assit près de lui.

— J'ai passé une excellente soirée et je les trouve tous les deux adorables.

Ils bavardèrent jusqu'au cœur de la nuit. Il avait envie de rester mais elle se retint de l'en prier. Il leur fallait encore du temps.

— Embrassez-moi avant de partir, demanda-t-elle.

— Si je vous embrasse, je ne pourrai plus vous quitter.

164

Elle se tenait devant la cheminée où ils avaient allumé un feu en arrivant.

— Dites-moi tout de même bonsoir, insista-t-elle.

Il s'approcha d'elle qui se mit à trembler soudain et lui ouvrit les bras.

Il prit sa main entre les siennes et se pencha pour déposer un baiser au creux de son coude. Puis il l'attira contre lui, lui dégagea l'épaule, effleura du bout des lèvres un coin de peau nue.

Doucement il repoussa ses cheveux pour lui mordiller l'oreille avant d'embrasser ses joues, pour s'attarder enfin tout près de sa bouche.

C'est elle qui tourna la tête afin de cueillir ce baiser qui l'attendait avec une patience si délicate. Elle ne se déroba pas sous la pression douce qui lui donnait le vertige et lui arrachait un faible gémissement.

Ils allaient faillir à leur résolution si elle n'avait pas le courage de se dégager à temps ; ce qu'elle fit, sans grande conviction, d'autant qu'il insista avec cette douce ardeur qui lui ôtait toute volonté.

S'ils parvinrent à se détacher l'un de l'autre, ce fut à l'extrême limite de leur désir.

— Vous m'avez bien dit bonsoir ! dit-elle, la voix enrouée.

— Et rien de plus ?

— Et rien de plus, Jess. Pas encore.

Il eut un sourire moqueur et recula comme s'il n'osait plus la toucher.

— Le week-end prochain...

— Oh! s'exclama-t-elle soudain ; ce sera mon anniversaire et ma mère donne une réception dimanche soir !

— Ce sera une bonne occasion de rencontrer votre mère.

— Vous l'aimerez certainement, déclara-t-elle sans conviction.

Il rit, l'embrassa sur la joue et s'en alla avec un grand signe de la main.

## Chapitre 10

La soirée ne se présentait pas très bien aux yeux d'Iris. Elle s'était trompée dans sa liste d'invités. Le groupe d'intimes qu'elle avait conviés pour son petit dîner de douze couverts comprenait, entre autres, Max Stern et sa femme, parce qu'il était un chirurgien en vue qu'elle admirait, et Judith, une de ses meilleures amies. L'impact social serait certain mais elle n'avait pas pensé à la tournure... médicale qu'allait prendre sa réunion.

— Elle ne savait pas que Max était l'un des plus grands admirateurs du Dr Jess Ingram, murmura Erica à Greg.

Ils se tenaient un peu à l'écart des autres convives, devant les portes-fenêtres, grandes ouvertes sur la nuit et l'océan.

— Maintenant elle le sait, commenta Greg en riant.

Max avait réuni un groupe enthousiaste autour de Jess et faisait un exposé sur les dernières recherches en matière d'immunologie. Jess ne se sentait pas très à son aise mais, au moins, la conversation lui paraissait-elle intéressante.

Quant à Christopher Cain, autre convive, il

refusait catégoriquement d'assister plus d'une fois par an à ce genre de dîner, ce qui ne pouvait convenir à la mondaine Iris qui trouvait soudain bien du charme à un riche yachtman en extase devant elle...

Au cours du dîner, elle s'efforça de faire dévier la conversation chaque fois qu'elle lui semblait prendre un tour quelque peu scientifique. Aussi, Erica se mordit-elle les lèvres quand elle l'entendit soudain lancer à l'adresse de Jess :

— Et vous n'avez jamais été marié, docteur Ingram ?

— Je ne me ferai certes pas l'avocat de cette remarquable institution, répliqua-t-il froidement. Je n'en vois pas l'intérêt, sauf pour une femme, bien sûr.

Iris releva le menton, prête à défendre un terrain qu'elle connaissait particulièrement.

— Maman... intervint Erica.

— Non, ma chérie, ne te lève pas. Consuela servira le café toute seule.

La jeune femme n'en revenait pas. Sa mère venait de lui faire son plus beau cadeau d'anniversaire : elle acceptait de ne pas provoquer Jess en duel, en plein dîner !

— J'ai encore quelques plaques à examiner avant demain matin, expliqua Jess à Erica.

Il entendait quitter la réception d'Iris dès le café servi.

Elle savait qu'il ne retrouverait sa tranquillité d'esprit que dans la paix de son laboratoire, après avoir été encensé et attaqué, dans la même soirée. Tristement, elle le regarda s'éloigner, songeant qu'elle n'avait pu s'isoler un instant avec lui. Heureusement, ils auraient à eux toute la journée du lendemain pour faire du bateau.

Greg les avait vus se donner un chaste baiser d'adieu.

— Comme c'est romantique ! dit-il.

— Nous ne nous connaissons pas encore très bien, lui et moi.

— S'il te fait la cour comme au XIXᵉ siècle, vous risquez d'en rester là !

Elle baissa la tête, finit par avouer :

— Je veux que tout se passe bien entre nous. C'était merveilleux au début. Ensuite nos relations se sont dégradées. Je veux qu'elles redeviennent excellentes.

— Et tu crains que cela ne marche pas ?

Il paraissait comprendre parfaitement ce qu'elle n'osait elle-même s'avouer.

— Tu me connais trop bien, Greg. Parfois je me demande qui de nous deux est le psychologue !

— Toi, sans le moindre doute. Moi je ne suis qu'un artiste un peu fou qui ne comprend rien à sa propre vie. Mais je sais encore reconnaître deux amoureux.

— Ne parlons pas d'amour, Greg. Pour l'instant je me contente d'amitié avec lui.

Il rit.

— Iris en dirait autant. Je ne sais pas ce que

169

vous avez, vous, les femmes. Moi je le trouve très
bien, ce monsieur !

Erica s'éveilla le lendemain matin avec
entrain, heureuse à l'idée de passer la journée
avec Jess. Elle regarda par la fenêtre. Les nuages
s'amoncelaient et la pluie se mettait à tomber.

— Oh non ! dit-elle tout fort.

Elle remonta les couvertures sur ses yeux
comme si en ignorant le mauvais temps elle
allait le changer.

Le téléphone sonna, elle sut que c'était Jess
qui allait annuler leur rendez-vous.

— Nous pouvons tout de même passer un peu
de temps ensemble, ajouta-t-il. Venez chez moi
ce soir, je préparerai moi-même le dîner.

— Pardon ? demanda-t-elle en sursautant.

Elle était incapable d'imaginer Jess devant les
fourneaux.

— Je passerai la commande à un traiteur,
précisa-t-il en riant. Chinois, ça vous va ?

— Ne préférez-vous pas que j'apporte quelque
chose à griller ? suggéra-t-elle sans enthousiasme.

Il accepta si vite qu'elle se demanda si ce
n'était pas ce qu'il avait en tête dès le début.

— Mais nous devions nous voir à midi, reprit-
elle. Alors pourquoi seulement ce soir, maintenant ?

— J'ai du travail au laboratoire.

— Vous y avez passé toute la nuit ?

— Non, tout de même pas. Mais j'y suis

retourné tôt ce matin pour enregistrer mes données.

— Supplantée par un ordinateur, commenta-t-elle, désenchantée.

La voix de Jess devint plus sèche.

— Vous savez combien mon travail compte pour moi, Erica.

— Je sais.

Elle décida soudain de tenter un compromis ; elle prenait des risques mais voulait voir où cette idée la mènerait.

— Je vous propose un arrangement : j'ai un article à écrire, alors retrouvons-nous chez vous à quatre heures et travaillons un peu ensemble.

— Non, rétorqua-t-il d'un ton sans réplique.

Elle allait protester quand il poursuivit :

— J'ai une meilleure idée. Rendez-vous à la maison à deux heures. Nous écouterons Scarlatti pour nous remettre en forme.

Lorsqu'elle eut raccroché, elle rentra sous ses couvertures et sourit. Après tout, peut-être n'était-il pas si impossible que cela ? Elle repensa au joli cadeau qu'il lui avait fait pour son anniversaire : des boucles d'oreilles en or, assorties à la chaîne qu'elle n'avait jamais cessé de porter, à quoi il avait joint un livre sur la navigation.

— J'ai besoin d'un quartier-maître, avait-il expliqué en riant.

Mais derrière cette plaisanterie, elle avait compris qu'il espérait la voir partager sa passion.

Une heure plus tard, une heure délicieuse de rêves habités par Jess, elle finit par se lever, s'habiller et prendre sa voiture pour se rendre à son bureau, sous la pluie. Absorbée par son travail, elle ne vit plus le temps passer.

Le vent fit voler les cheveux d'Erica comme elle s'engouffrait sous le porche de Jess, deux sacs de provisions dans les bras. Elle avait eu beau courir entre sa voiture et l'immeuble, la pluie avait traversé ses vêtements. Quand Jess ouvrit, elle se rua dans l'entrée en riant. Un des sacs céda à l'humidité, répandant son contenu sur le carrelage.

Tandis qu'elle se séchait, Jess ramassa les légumes. Par la porte du bureau restée ouverte, elle vit une pile de dossiers étalés sur la table.

Il remarqua son air préoccupé.

— J'ai encore pour une heure ou deux de travail, expliqua-t-il.

Elle était déçue mais s'efforça de comprendre.

— Heureusement que j'avais apporté mes notes avec moi, commenta-t-elle en s'ébouriffant les cheveux.

Il alla s'installer dans son bureau et se plongea immédiatement dans son étude. Erica s'assit dans le canapé du salon, plia ses jambes sous elle et se mit à lire ses cahiers. Mais quelques gouttes de pluie lui glissaient encore dans la nuque et elle dut éponger sa robe de coton avant d'ôter ses chaussures pour les faire sécher près du feu.

— Mettez-vous un peu plus à gauche, que je vous voie !

Elle obtempéra et s'assit face à la porte du bureau. Elle ne s'était pas attendue à ce qu'il levât la tête de son travail et surtout pas pour dire ce genre de chose.

Une harmonieuse cantate de Scarlatti égrenait ses notes, couvrant le battement de la pluie contre les vitres. Dans cette atmosphère paisible, Jess et Erica se concentrèrent un long moment sur leur travail.

Soudain, elle leva les yeux et rencontra les prunelles bleues de Jess fixées sur elle. Même de loin, leur couleur demeurait étonnante. Elle sourit, lui resta sérieux, et elle se plongea de nouveau dans ses notes.

Quand la musique s'acheva, elle se redressa, en se demandant quel disque choisir. Jess la regardait toujours, le visage grave. Elle renonça à se lever mais cette fois-ci, elle eut plus de mal à se concentrer. Les mots dansaient sur la page ouverte et elle dut relire deux fois chaque ligne pour tenter d'assimiler le sens des phrases ; elle savait qu'il gardait les yeux posés sur elle.

Alors, elle soutint son regard. Elle ne vit pas le papier qui tomba du bureau, elle n'entendait pas le disque tourner à vide ni la pluie diminuer. Elle ne percevait même plus les battements de son cœur. Elle se trouvait loin de tout, dans un lieu où seuls existaient Jess et ce désir ardent qui transformait son expression d'une façon si bouleversante. Comme un automate, elle déplia ses jambes et se leva, mais n'eut à faire qu'un seul pas : il était déjà auprès d'elle.

— Erica...

Leurs bouches s'unirent comme s'ils s'embrassaient pour la première fois et aucun de leurs souvenirs ne put être comparé au bonheur de se serrer à nouveau l'un contre l'autre. Une sensation de joie intense la parcourait comme une onde ; elle avait éprouvé un tel besoin de lui, ces dernières semaines... Maintenant, il était là et tous ses sens se concentraient sur cette merveilleuse certitude.

Ils se dirigèrent sans prononcer un mot vers la chambre de Jess. Sur le seuil, il l'embrassa puis, à chaque pas, jusqu'au lit qu'elle accueillit comme un havre tant ses genoux tremblaient.

Le Dr Ingram avait disparu pour faire place à Jess, l'homme qu'elle avait tant aimé au club et qui lui revenait enfin.

D'un geste très doux, comme s'il attendait encore son approbation, il se mit à déboutonner sa robe d'une main tremblante.

— Je n'y arrive pas, Erica, murmura-t-il d'une voix étouffée. Aidez-moi.

Elle guida ses mains avant de l'aider, lui aussi, à se déshabiller, lentement, en un ballet où chaque mouvement devenait caresse.

Puis il commença d'embrasser son corps comme pour mieux la découvrir et la retrouver, douce, parfumée, gémissant de volupté.

Elle comprenait Jess, percevait ses attentes,

allait au-devant de lui pour mieux l'emmener au jardin secret dont nul n'avait jamais franchi la porte, car elle l'avait, de tout temps, préservé pour lui. Oui, elle était prête à lui donner en partage les arômes, les effluves, les senteurs, les ivresses d'où jaillirait l'explosion de joie des amants comblés.

Il la souleva, encore cambrée, la tint contre lui dans un ultime élan pour tenter d'apaiser les battements affolés de son cœur.

Elle ne voyait que ses yeux bleus, si bleus, qui la contemplaient dans un émoi apaisé.

Longtemps ils demeurèrent enlacés comme s'ils ne faisaient plus qu'un. Erica savait que ce qui s'était passé avait été aussi nouveau pour lui que pour elle. Submergée de tendresse, elle chassa de son front une mèche blonde. Il paraissait si vulnérable ainsi étendu auprès d'elle, les yeux clos, le souffle régulier, un léger sourire flottant sur les lèvres. Il avait parcouru un long chemin et il commençait à changer ; pour elle... Erica aussi avait parcouru un long chemin, pour tenter de mieux le comprendre et l'aimer.

Elle se blottit contre son épaule. Elle l'aimait. Elle pouvait l'admettre, désormais, mais ne le lui dirait pas encore.

Iris avait vu juste. Ils se ressemblaient tous les deux. Indépendants, certains d'avoir raison chacun de son côté, méfiants. Elle ne voulait pas tendre de piège à Jess, ni l'effaroucher. Elle n'était pas sûre de ce qu'elle souhaitait mais, pour le moment, ce qu'elle avait lui suffisait : dormir près de lui, partager l'émerveillement de la fête charnelle. Ce n'était plus un rêve mais la réalité.

## Chapitre 11

— Tu vois toujours ce docteur ?

Iris arrosait les bégonias de son patio quand Erica était entrée pour remarquer aussitôt que leur couleur était parfaitement assortie à celle de la robe de sa mère.

— Il s'appelle Jess !

Elle s'installa dans un transat au soleil et attendit l'inévitable. Iris lui avait téléphoné une heure plus tôt, lui demandant de venir immédiatement. Mais la jeune femme se sentait dans une telle forme que rien ne pouvait vraiment l'atteindre aujourd'hui.

— Oui, je le vois, précisa-t-elle. Nous sommes allés au théâtre, hier soir.

Iris lui tendit un chapeau de paille.

— Mets ça, ma chérie. Le soleil tape aujourd'hui. T'es-tu bien amusée ?

Erica réfléchit un instant, se demandant comment expliquer à sa mère qu'elle n'avait visiblement aucune idée de la soirée qu'ils venaient de passer ensemble. Jess n'avait pas aimé la pièce, une comédie musicale d'avant-garde, et ils en avaient discuté âprement et longtemps, l'un comme l'autre défendant son point de vue avec fougue.

— Jess n'a pas apprécié le spectacle et encore moins la réunion qui a suivi, avec les comédiens.

Iris la regarda en coin, comme si elle s'était attendue à cette réaction.

— Il n'a pas l'air très sensible à l'art, commenta-t-elle d'un ton faussement navré.

— Il aime la musique.

Erica commençait à le soutenir quand elle s'aperçut que c'était exactement ce que sa mère attendait. Elle se reprit aussitôt :

— Il ne s'intéresse pas beaucoup au théâtre que font mes amis. Enfin, pas encore.

— Ce qui prouve que c'est un homme de goût !

Iris s'assit en face d'elle, à l'ombre, avec cette grâce dont elle avait le secret.

— Ma chérie, commença-t-elle cérémonieusement, je voudrais que tu n'oublies pas le passé. J'ai été tellement déçue quand ton mariage avec Larry s'est brisé. Je m'étais tellement trompée sur son compte Il était si beau, d'une si bonne famille !

Elle secoua la tête en soupirant, beaucoup plus à cause de son erreur d'appréciation sur le mari de sa fille que sur le divorce qui s'en était suivi.

— Au moins, reprit-elle, ce médecin n'a pas l'air d'un play-boy. Il paraîtrait plutôt trop attaché à son laboratoire.

Comme Erica gardait le silence, elle poursuivit :

— Je ne souhaite pas te voir commettre une nouvelle erreur.

— Je n'en ai pas l'intention, rassure-toi.

Elle avait répondu plus vivement qu'elle ne l'aurait voulu.

— Mais toute relation comporte des risques, continua-t-elle plus calmement. Et je suis prête à en prendre dans ce cas précis. Jess et moi sommes différents sur bien des points, mais nous avons aussi beaucoup d'affinités.

Ces deux dernières semaines leur avaient permis de mieux se connaître, de s'apprécier et elle se sentait bien avec lui, enveloppée dans la tiède sécurité de leur complicité. Parfois, elle avait l'impression que cela durerait la vie entière, mais elle s'interdisait d'y penser : ils ne formaient pas encore un vrai couple. Leur travail les accaparait trop et il arrivait à la jeune femme de se rebeller contre les horaires excessifs de Jess qui lui donnaient rapidement la sensation d'avoir été oubliée.

Mais la nuit précédente, il lui avait dit :

— C'est la première fois que je me sens si proche de quelqu'un.

Pour l'heure, elle se retrouvait face à sa mère qui poursuivait son babillage :

— Pourvu que tu dises vrai, ma chérie. Mais je dois t'avouer que lui et moi ne sommes pas exactement branchés sur la même longueur d'ondes.

— Peu de gens le sont, maman.

Elle regarda sa montre, se leva. Il était temps pour elle de se rendre à son émission.

— Je l'admire tout de même, ajouta Iris. Il a

du caractère ; ce n'est pas si fréquent de nos jours.

Elle raccompagna sa fille à la porte d'entrée.

— Si tu veux, je donnerai un autre dîner pour que nous puissions faire un peu mieux connaissance.

Erica se détourna, heureuse que sa mère ne vît pas l'expression de son visage. Jess et elle n'avaient vraiment aucune envie, en ce moment, de ces réunions mondaines.


Karen attendait Erica à son bureau. Elle était toujours scrupuleusement à l'heure et paraissait compter avec enthousiasme sur leurs rendez-vous.

— J'ai écouté l'émission, dit-elle. Et je me dis que j'ai bien de la chance par rapport à tous ces gens : moi, au moins, je peux vous voir.

Elle semblait être dans une forme éblouissante.

— Tout se présente tellement bien pour moi, docteur Jordan. Jess... Tony... mon avenir...

Elle sourit, de ce ravissant sourire qui illuminait son regard.

— Je ne sais pas ce que vous avez fait à mon frère, mais on dirait qu'une bonne fée lui a donné un coup de baguette magique. Nous ne nous disputons presque plus !

Erica hocha la tête. Jess tenait sa promesse.

— Qu'avez-vous décidé pour votre travail ? demanda-t-elle.

Serveuse dans un restaurant, l'adolescente

manifestait depuis quelque temps une certaine lassitude.

Elle passa une main dans ses courts cheveux blonds et s'assit sur un coin du canapé. Erica lui trouva un air de petite fille qui a grandi trop vite ; elle venait de passer un an à Hollywood qui ressemblait, de moins en moins, au royaume du cinéma et, de plus en plus, à un faubourg surpeuplé où la vie était très dure.

— Je ne veux pas passer ma vie à servir des repas. J'ai accepté ce travail parce que j'ai besoin d'argent. Mais j'espère trouver mieux, aller plus loin, comme vous.

La petite voix prenait de l'assurance à mesure que les rêves s'exprimaient.

— J'aimerais aider les autres. Comme vous, répéta-t-elle.

— C'est très flatteur, Karen. Mais il y a beaucoup de façons d'aider les gens, sans forcément passer par la psychologie. Je suis certaine que vous découvrirez votre voie.

— Je pourrais reprendre mes études.

Elle se mit à rire, un peu embarrassée. Chaque fois que Jess le lui avait demandé, elle s'y était fermement opposée, se plaignant ensuite auprès d'Erica des interventions de son frère. Et maintenant, elle aboutissait seule au même raisonnement.

Erica attendit que le rire s'apaisât un peu pour déclarer :

— Ce sera à vous de voir, plus tard. Pour

l'instant, parlons un peu de Tony. Vous n'êtes pas très bavarde à son sujet.

— Nous ne sommes pas d'accord sur tout et...

Erica connaissait les conséquences d'un désaccord avec Tony.

— Parfois, poursuivait Karen, je me demande ce que pensent les voisins. Il est vrai qu'ils sont souvent bruyants, eux aussi.

— Quel est l'objet de vos disputes, Karen ?

L'adolescente soupira.

— Jess. Tony ne veut même plus que je voie mon frère ! Il dit qu'il veut m'influencer.

— Et c'est vrai ?

— A peine. Il me demande parfois si Tony a retrouvé un emploi. C'est très important pour mon frère, le travail, ajouta-t-elle pensivement.

La situation professionnelle de Tony ne s'arrangeait pas ; il avait refusé de jouer, le week-end, à Balboa parce que la route était trop longue. Puis il était entré dans un club à l'ouest de Hollywood mais n'y était pas resté, prétextant que sa vocation artistique n'y était pas respectée.

Erica ne pouvait s'empêcher de comparer cette situation avec la sienne ; Jess et elle avaient aussi eu du mal à accepter des changements dans leurs habitudes. Mais elle devait reconnaître qu'il s'était efforcé d'y remédier, qu'il avait bien voulu assouplir ses horaires tandis qu'elle essayait de le comprendre et de l'accepter. Ce qui avait été difficile pour eux le serait aussi pour Tony et Karen.

Dès qu'elle eut refermé la porte de la salle d'attente derrière Karen, Erica regagna son bureau. Elle jeta quelques notes sur le dossier Karen Ingram puis parla dans l'interphone à l'attention de Bobbie :

— La personne suivante, s'il te plaît.

Elle demeura très tard au bureau, mettant son courrier à jour et attendant le coup de téléphone de Jess. Elle l'avait espéré toute la journée. Après tout, peut-être l'appellerait-il ce soir, une fois qu'elle serait rentrée chez elle. Elle lui dirait de venir dîner et sortirait sa vaisselle en porcelaine et ses couverts d'argent. Ils se raconteraient mutuellement leur journée ; elle avait envie de lui parler des petits complots d'Iris à leur sujet. Il serait certainement très alléché par la proposition d'un nouveau dîner chez sa mère...

Tout d'un coup, elle comprit qu'elle était en train de devenir complètement dépendante de lui. N'avait-elle pas besoin de Jess Ingram pour donner un équilibre à sa vie ? Elle voyait de moins en moins ses autres amis et ne le regrettait pas. Elle ne cherchait pas à en tirer d'analyse complexe, acceptant le fait tel qu'il était.

Elle attendit jusqu'à six heures et demie puis téléphona elle-même.

— Pardonnez-moi ! s'exclama-t-il, j'avais complètement oublié ! Nous sommes à deux doigts d'aboutir. Nos dernières données nous valent des résultats inespérés.

Erica fut sincèrement ravie d'apprendre cette

nouvelle et n'hésita pas à le lui dire. Mais elle ne manqua pas non plus de lui rappeler sa déception :

— J'espérais que vous me téléphoneriez, Jess. Il est presque sept heures.

— Vous m'auriez dit deux heures que je n'en aurais pas été plus étonné. Je ne pensais qu'à notre découverte.

— Accordez-vous au moins une petite pause d'une heure et venez dîner.

— Je regrette, dit-il d'une voix qui ne paraissait rien regretter du tout, je ne peux pas me permettre de gâcher une seule minute.

Puis, comme s'il réconfortait un enfant :

— Il n'y en a plus pour longtemps, Erica. Soyez patiente. Mais pour l'instant je suis trop occupé. Vous comprenez ?

Quand elle eut raccroché, elle s'adossa à son siège, les deux mains sur son bureau, luttant contre l'exaspération. En acceptant de vivre cette relation avec Jess, elle était redevenue vulnérable, accessible aux joies profondes comme aux peines les plus aiguës. Toute sa vie avait été changée depuis l'arrivée de Jess mais elle, qu'avait-elle changé dans la sienne, si ce n'était le port de la barbe ? Quelle importance lui accordait-il donc s'il en venait à oublier de lui téléphoner ?

Elle éteignit sa lampe d'un geste agacé, rangea ses dossiers, décida d'aller retrouver Greg et de se préparer un dîner léger.

Il lui fallait trouver quelque chose d'assez

important pour soustraire Jess à ses préoccupations. Elle s'était habituée à admettre la plupart de ses excentricités mais elle n'allait pas demeurer passivement assise et tout subir sans réagir. Il fallait qu'elle se défende, si possible avec humour et imagination. Elle devait le surprendre.

## Chapitre 12

— Docteur Ingram, une dame est à la réception avec... votre dîner.

Le gardien de nuit de la fondation Murdock ne quittait pas Erica des yeux tout en s'expliquant au téléphone avec Jess.

— Une certaine M$^{me}$ Jordan. Dois-je la faire entrer ?

Il attendit la réponse tout en s'humectant les lèvres, fit un signe de la tête, sourit et raccrocha.

— Cinquième étage, dit-il. Le Dr Ingram vous attend devant l'ascenseur. Veuillez signer ici, je vous prie.

Erica déposa son panier de pique-nique sur la table, le temps d'inscrire son nom sur le registre des entrées tandis que le gardien dévisageait cette longue jeune femme brune en imperméable, dont les boucles d'oreilles turquoise dansaient à chaque mouvement de la tête.

Jess se tenait en effet devant l'ascenseur lorsqu'elle arriva.

— C'est la première fois que je me fais livrer mon dîner ici, et surtout par un tel garçon de courses !

Il la libéra de son panier et l'embrassa dans le cou.

— Je suis très heureux de vous voir ici !

— Je ne trouble pas trop vos recherches ?

Il regarda sa montre.

— Je m'accorde une demi-heure !

— C'est trop ! s'exclama-t-elle avec un sourire.

Ils s'installèrent dans son bureau toujours impeccablement rangé, ce dont elle ne s'étonna pas. Il paraissait cependant soucieux, tiraillé entre le plaisir de recevoir Erica et l'urgence de son travail. Il lui fit signe de venir s'asseoir près de lui sur le canapé.

— Mais commencez par ôter cet imperméable.

Il rencontra alors les yeux noisette qui le fixaient intensément et pressentit un piège.

— Oui, reprit-il, enlevez ça.

Elle déboutonna lentement son vêtement pour apparaître dans un somptueux fourreau de soie noire dès qu'elle eut négligemment jeté l'imperméable sur une pile de dossiers.

— Etes-vous invitée à une soirée ?

— Oui.

Elle se passa la main dans les cheveux pour mieux les faire retomber en lourde cascade sur ses épaules.

— Une soirée privée pour deux, qui a lieu ici.

Il s'était levé et la prenait dans ses bras.

— Il y a longtemps, murmura-t-il en la serrant contre lui.

— Rien que sept jours, six nuits et douze heures. Mais je suppose que vous le saviez !

Elle embrassa doucement sa nuque.

— Nous le mangeons, ce dîner ? suggéra-t-elle.

— Qui parle de dîner ? J'ai bien autre chose à faire !

Elle s'insinuait contre lui, délicieusement provocante, parfaitement consciente de ce qu'elle était en train de faire.

— Souvenez-vous du dicton : « Si Mahomet ne va pas à la montagne, la montagne ira à Mahomet »...

Le baiser passionné de Jess fut ce qu'elle obtint pour toute réponse. Elle avait tant éprouvé le besoin de se jeter dans ses bras toute cette morne semaine, de sentir son corps contre le sien.

— Je vous trouve tout à fait... montagneuse, en effet ! murmura-t-il.

Et sans lui laisser le temps de répliquer, il lui donnait un autre baiser, plus ardent encore que le premier. Elle ouvrit les yeux pour se noyer dans le bleu d'un ciel d'été qui la contemplait, la dévisageait, l'emportait dans sa profondeur azuréenne.

— Je suis fou ! marmonna-t-il, complètement fou !

Il frotta sa joue mal rasée contre sa peau trendre et l'embrassa de nouveau.

— Je ne sais pas ce qui m'a pris de vous écarter de ma vie une si longue semaine. Il va falloir que je révise l'ordre de mes priorités.

Ils se détachèrent l'un de l'autre sans se quitter des yeux.

188

— Venez ! dit-il. Allons chez moi...

Elle secoua la tête.

— Fermez plutôt cette porte à clef. Je vous ai dit que la soirée se passait ici.

Elle chercha la lampe à tâtons et éteignit.

Il ne resta pas longtemps interloqué par cette invite sans détour. Il l'entoura de ses bras dans un élan qui mêlait le désir, l'admiration et l'amitié — tout ce qui lui avait tant manqué sans qu'il s'en rendît vraiment compte au cours de la semaine passée. Plus que jamais il avait besoin d'elle, la seule femme au monde capable de venir l'interrompre en plein travail, la seule femme pour laquelle il aurait pu abandonner ses recherches. Ce qu'elle s'abstenait de lui demander. Et il ne l'en aimait que plus.

Ils se retrouvèrent sur le canapé, nus, simplement éclairés par la faible lueur qui filtrait à travers les stores. Ils avaient perdu la notion du temps. La demi-heure dont il avait parlé arriva et passa sans qu'ils s'en aperçoivent. Ils n'attachaient plus d'importance ni au temps, ni au lieu. Peu importait qu'ils se retrouvent dans son bureau ou ailleurs, au milieu d'une prairie embaumée de milliers de fleurs, l'extase eût été la même. Ils ne désiraient ni plus ni moins que ce qu'ils avaient en ce moment. C'est-à-dire tout.

Elle humait avec délices son odeur qu'elle aimait tant, mêlée d'eau de Cologne boisée et d'air marin. L'odeur de Jess.

A l'unisson, ils exploraient les collines et les vallées de leurs corps, découvrant toujours un trésor nouveau, jamais lassés, émerveillés, au contraire, par l'appel du désir.

Tout mouvement s'arrêta soudain et ils restèrent immobiles, cœur contre cœur, à l'écoute attentive de l'autre, comme statufiés par un mystérieux signal venu du plus profond d'eux-mêmes.

Seule Erica parut s'éveiller. Jess la laissa jouer les gammes que lui inspirait sa sensualité. Du bout des doigts elle effleurait le corps étendu auprès d'elle, provoquait et agaçait cette peau qui répondait en se hérissant, en frémissant, au toucher délicat et indiscret.

Soudain, n'y tenant plus, il se retourna et la saisit à bras-le-corps comme pour l'empêcher de tomber. Dans un élan joyeux, elle s'agrippa à lui en poussant un petit cri et ils luttèrent doucement dans la pénombre, se cherchant et se repoussant pour mieux se retrouver et s'abandonner l'un à l'autre, quand l'extase déferla.

— Je vous aime, je vous aime ! cria-t-elle alors sans la moindre retenue.

— Je vous aime aussi, Erica.

Les mots s'arrachèrent à lui tandis que leur désir explosait en un tourbillon de couleurs.

— Quel pique-nique ! plaisanta-t-il alors qu'ils se tenaient encore serrés l'un contre l'autre. Ou plutôt : quel festin !

Et, joignant le geste à la parole, il parsema son front de petits baisers gourmands.

— Quelle demi-heure ! renchérit-elle.

Jess poussa un soupir résigné.

— Sommes-nous déjà le matin ou encore le soir ? J'ai perdu toute notion de l'heure.

Elle regarda sa montre lumineuse posée sur le sol.

— Il est à peine neuf heures. Vous avez encore le temps de vous distinguer.

La demi-heure qu'il s'était accordée avait été largement dépassée mais Erica ne voulut pas qu'il pût le regretter. Ils s'embrassèrent, se caressèrent mais finirent pas se séparer, la tête encore emplie d'une douce ivresse.

Ils s'habillèrent, remirent de l'ordre dans la pièce avant que Jess n'ouvrît la porte.

— Je laisse le pique-nique ici, dit-elle. Vous aurez sans doute faim tout à l'heure.

Il la raccompagna à l'ascenseur, appuya sur le bouton et, l'emprisonnant entre ses deux bras, l'adossa contre le mur. Il avait les cheveux ébouriffés et la chemise défaite, comme s'il sortait du lit.

La cabine s'ouvrit mais elle n'était pas vide. Le gardien en sortit, aussi surpris qu'eux.

— J'effectue ma ronde, expliqua-t-il à Jess.

Il disparut dans le corridor après avoir poliment demandé si le dîner avait été bon.

— Délicieux, murmura Erica en souriant.

Puis, à Jess qui avait à peine remarqué l'homme, elle ne put s'empêcher de dire :

— Si j'étais vous, docteur Ingram, je refermerais ma chemise !

Elle entra dans l'ascenseur après un tendre baiser sur une joue qui commençait à piquer.

Les portes se refermèrent sur un Jess embarrassé qui regardait au fond du couloir disparaître l'ombre du gardien.

Tout le long du chemin qui la ramenait chez elle, Erica se répéta que Jess lui avait parlé d'amour. Elle savait bien que les mots, dans de telles circonstances, n'avaient qu'une valeur toute relative. Saurait-il les répéter de sang-froid ? Pas maintenant mais bientôt, peut-être. Elle avait besoin de le croire...

Elle se sentait soudain très seule. Elle n'était pas rassasiée du corps de Jess. S'il n'avait tenu qu'à elle, elle l'aurait aimé tout au long de la nuit.

Il fallait qu'elle parle à quelqu'un, pour épancher le trop-plein d'amour et de peine qui l'habitait. En passant devant la maison de Greg elle vit qu'elle était noire et calme, qu'aucune voiture n'était garée devant. Déçue, elle rentra chez elle, ouvrit sa porte et se laissa envelopper par l'obscurité. Comme toujours, elle avait oublié de laisser une lumière sur la véranda. Elle atteignait à tâtons l'interrupteur de l'entrée quand le téléphone sonna. Elle se précipita, certaine que ce serait Jess. Ils allaient pouvoir parler.

— Docteur Jordan ?

Elle ne reconnut pas immédiatement la voix d'homme au bout du fil.

— Oui, dit-elle d'une voix hésitante.

— Laissez tomber, toubib! Vous avez fait assez de dégâts comme ça!

Elle comprit en un éclair et s'efforça de garder son calme.

— Que se passe-t-il, Tony?

Sa longue expérience lui permit de prendre un ton professionnel mais elle se demanda où il avait pu obtenir son numéro privé.

— A cause de vous, Karen s'est mis des idées en tête. Elle veut partir, quitter son travail, reprendre ses études.

— C'est à elle de décider, pas à moi, ni à vous.

Elle avait l'habitude d'affronter des patients en colère et Tony ne l'impressionnait pas plus qu'un autre.

Elle enleva une boucle d'oreille turquoise et s'assit devant la table de téléphone. L'appel pourrait durer un moment, le ton monter, elle se sentait prête à toute éventualité.

— Laissez tomber! reprit-il. Vous et Jess, vous voulez changer Karen. Je sais depuis le début que vous êtes ligués contre moi. J'ai bien compris.

— Personne ne vous veut de mal, Tony. Le Dr Ingram et moi...

— Oui, je sais ce que vous faites, et voilà ce que vous allez faire, maintenant...

A ses instructions, elle répondit, frémissante de colère :

— Je ne permets à personne de me parler sur ce ton. Quand vous serez calmé vous me direz ce

193

que vous avez à me dire, je vous recevrai dans mon bureau...

— Tenez vous tranquille ! C'est un conseil que je vous donne. Ou tout ça se terminera très mal pour vous.

Il raccrocha.

Erica poussa un soupir. Il lui était déjà arrivé de recevoir des menaces. Ce n'était jamais une expérience agréable, mais elle savait que sous l'emprise de la colère n'importe qui pouvait dire n'importe quoi et ne plus y penser ensuite.

Elle alla se verser un verre de cognac. Elle qui craignait de s'ennuyer avait trouvé à qui parler !

Malgré tout, en allant se coucher, elle vérifia plusieurs fois les fermetures des portes et des fenêtres.

## Chapitre 13

Le dimanche suivant ils partirent faire du bateau. Le temps était magnifique, clair, doux et léger. Jess avait invité les Levinson et tous quatre profitaient de la brise qui s'engouffrait dans les voiles, du chaud soleil et de la mer calme. Le *Wanderer* s'élançait à sa surface comme un grand oiseau blanc, toutes ailes déployées.

— Le temps idéal ! déclara Charlie perdu sous son gigantesque chapeau.

— Je l'ai spécialement commandé pour aujourd'hui, dit Jess, en l'honneur de notre réussite.

Ils n'avaient pas encore terminé leurs recherches à la fondation Murdock, mais le travail accompli ces derniers jours leur avait permis de franchir un pas de géant ; l'aboutissement n'était plus qu'une question de jours et de tâche méthodique qu'un exécutant pouvait sans peine remplir. Jess se sentait enfin le droit de se détendre.

— Où est le champagne ? plaisanta Carole.

Un claquement venu de la cabine lui répondit.

— Qui parle de champagne ? cria Erica. Un instant, il arrive !

A l'inspiration, ils suivaient la côte et jetèrent

l'ancre dans une crique proche de Dana Point. Un pélican s'était posé sur la proue, apparemment décidé à passer la journée avec eux.

— Chaque fois que je veux m'installer pour pêcher, s'exclama Charlie furieux, un de ces oiseaux vient intercepter mes prises. Regardez-moi ça !

En effet, à peine avait-il jeté son appât, que le pélican plongeait et refaisait surface, un poisson dans le bec.

— A ta place j'abandonnerais, dit Carole en riant. Ils sont plus forts que toi !

Elle s'était mise en maillot une pièce qui soulignait les courbes de son corps musclé ; près d'elle, jambes croisées, Jess nouait ses filins, tandis que, sur le carré, Erica préparait nonchalamment les apéritifs.

La journée avait trop bien commencé pour qu'elle eût envie de parler de Tony. D'ailleurs, il ne s'était plus manifesté et elle avait appris, par Karen, qu'il était en train d'enregistrer un disque, ce qui devait lui faire oublier de mettre ses menaces à exécution. C'était bien ce qu'avait prévu Erica et elle décida de profiter de la journée sans plus se préoccuper de lui.

Elle versa le champagne dans les flûtes, en reçut un peu sur elle à cause d'un remous inattendu et s'épongea en riant. Elle avait mis son bikini jaune et non le mauve, et Jess avait accueilli ce choix avec un gros soupir de regret.

Elle pensa à Karen. L'adolescente était plus

décidée que jamais à changer de travail et, comme elle voulait toujours se dévouer pour autrui, Erica lui avait suggéré de s'adresser à Carole qui cherchait toujours de jeunes bras pour sa maison de retraite.

Par ailleurs, Karen était à la recherche d'un appartement proche de chez les Levinson, afin d'y habiter seule. D'ici peu, elle serait l'unique responsable de sa propre vie.

Pour s'en tenir à leurs accords, Erica n'avait rien raconté à Jess et lui n'avait pas parlé de sa sœur.

C'est pourquoi elle fut surprise d'entendre la conversation qui se déroulait sur le pont. Il y était question de Karen et, poussée par la curiosité, elle ne put s'empêcher d'écouter un peu avant de se manifester :

— Elle a vraiment changé, ces derniers temps, disait Carole.

— Sans doute, répliquait Jess d'une voix sombre, mais je ne veux pas qu'elle travaille là-bas, Carole.

Erica faillit en lâcher son plateau. Elle s'attendait à le voir réagir plus ou moins bien mais sûrement pas à ce qu'il intervienne aussi catégoriquement.

— Voyez-vous, poursuivait-il, je n'ai rien contre l'aide aux personnes âgées, mais Karen a besoin de reprendre ses études. J'en suis convaincu.

Erica en avait assez entendu. Elle s'approcha,

le plateau, entre les mains, chargé de champagne et d'amuse-gueules.

Elle préféra ne pas faire allusion à cette conversation qui ne lui était visiblement pas destinée mais cette découverte ne lui en trotta pas moins dans la tête. Elle avait l'impression de revoir en face d'elle le Jess des débuts, tyrannique et impérieux. Elle se demanda s'il ne risquait pas de compromettre tous ses efforts et ceux de Karen pour conquérir enfin son indépendance.

De toute façon, ce n'était pas le moment d'en discuter avec Jess qui ne cessait de se montrer attentionné, gai et désinvolte en présence de leurs amis.

Erica avait l'impression de vivre ce genre d'amitié qui peut réunir deux couples mariés... Mariés. Avec toute la douceur, la pérennité que supposait ce mot. Un mot qui convenait si parfaitement à Carole et Charlie qu'il paraissait avoir été inventé pour eux. En ce qui concernait Erica et Jess, les données n'étaient plus les mêmes. Etaient-ils prêts pour le mariage ? Elle avait envie d'y croire. Jess lui souriait, lui tenait la main et ne la lâchait plus.

Le soir tombait lorsqu'ils parvinrent au port d'attache du *Wanderer*. A la façon dont Jess regardait Erica, Carole comprit qu'il était temps de les laisser seuls. Quant à Charlie, il paraissait se trouver fort à son aise sur le bateau.

— Charlie, nous devons rentrer, maintenant.

— Attends, répondit ce dernier, je termine ma bière. Je passerais bien la nuit ici, moi !

— Nous devons nous occuper des enfants.

— Carole ! Voilà des années que nous ne nous occupons plus tellement des enfants. Ils ont grandi, tu sais.

— Peut-être, mais ce soir nous nous occupons d'eux !

Le ton était sans réplique. Charlie ramassa ses affaires sous le regard moqueur de sa femme. Ils partirent enfin et Jess leur adressa un dernier signe sans lâcher la main d'Erica.

Ils se tournèrent l'un vers l'autre, se regardèrent dans les yeux. Ceux d'Erica brillaient d'un feu étrange qui répondait passionnément à tous les égards qu'il lui avait manifestés la journée durant.

— Quels bons moment nous venons de passer, Erica. C'était presque parfait.

— Presque ?

— Maintenant c'est parfait.

Et il l'embrassa. Ce furent les derniers mots qu'ils prononcèrent ; aucun n'aurait pu, désormais, exprimer les émotions qu'ils éprouvaient à se trouver ainsi réunis. Ils ne surent pas et ne sauraient jamais pourquoi la nuit leur parut aussi enchanteresse. Etait-ce à cause de l'iode qui embaumait l'air, de la tiédeur de l'atmosphère, du mouvement doux du bateau sur l'eau tranquille ? Ou, tout simplement, parce qu'ils avaient attendu ce moment depuis le début de la journée ?

Ils ne mirent pas longtemps à se défaire de leurs vêtements légers et à retrouver enfin la joie de leurs dernières vacances, quand ils apprenaient à se connaître sans se poser de questions. Ce soir-là non plus ils ne s'en posèrent pas.

S'ils ne disaient rien, leurs cris et leurs soupirs parlaient éloquemment. Il leur fallait se réunir, se lier à jamais l'un à l'autre, car tel était leur but suprême, la seule raison de leur existence.

Ils plongèrent à deux dans le gouffre béant de leur passion sans savoir s'ils referaient jamais surface.

Mais leur respiration s'apaisa, leurs cœurs se calmèrent, leurs muscles se détendirent. Jess la tenait contre lui, brûlant de cette joie qui émanait de leurs corps. Ils venaient de se régénérer...

Un miracle, se dit Erica. Un miracle qui s'accomplissait à chacune de leurs rencontres. Elle ne pouvait rien demander de plus beau à cette nuit, à la vie, que de rester dans les bras de l'homme tendre qui l'aimait. Cela elle le savait, d'instinct, et elle se reposait sur cette certitude comme sur cette épaule où elle finit par s'endormir.

— C'est le genre de journée qui m'amène à regretter que nous ne soyons pas plus souvent ensemble.

Elle sursauta dans son assoupissement, se répéta ce qu'elle venait d'entendre pour mieux s'en réjouir.

— Ou tout le temps, poursuivit-il comme pour

200

lui-même. Nous devrions être tout le temps ensemble.

Elle ne l'avait jamais entendu exprimer à ce point ce qu'elle-même souhaitait, et il n'irait sans doute pas plus loin, mais elle était ravie et saurait s'en satisfaire, car tel était Jess.

— Je le regrette moi aussi, dit-elle doucement, essayant de dominer le tremblement de sa voix.

Il la serra contre lui, ne sachant trop que répondre. Elle suivit le contour de ses lèvres d'un geste souple et insistant, l'embrassa.

Il sourit.

— On dirait que les Ingram sont finalement revenus à de meilleurs sentiments !

— Les Ingram ? Je n'en vois qu'un ici. Celui que j'aime.

Elle l'embrassa de nouveau.

— Et que j'adore, reprit-elle.

Alors Jess lui expliqua ce qu'il avait voulu dire et elle vit ses espérances se briser comme une coupe de champagne que l'on laisse tomber. Seulement il ne s'agissait pas là de cristal, mais de son avenir à elle.

— L'autre Ingram est aussi revenue à de meilleurs sentiments. Il s'agit de Karen. J'ai eu une longue discussion avec elle. Elle ne travaillera finalement pas avec Carole.

Erica tenta de se dégager pour le regarder en face et lire ce que disaient ses yeux, mais il continuait, imperturbable :

— Ce n'est pas exactement la place que je souhaite à une jeune étudiante. Je n'ai pas voulu en parler ce matin devant les Levinson mais je puis annoncer maintenant que j'ai demandé à Karen de renoncer à cet emploi et d'aller s'inscrire à l'université.

Cette fois, Erica bougea presque avec violence pour le regarder en face. Il ne paraissait même pas conscient des dégâts qu'il avait provoqués. Son aveuglement la révoltait encore plus que son intervention.

— Jess, nous avions fait un pacte. Nous étions d'accord. Vous deviez me donner le temps de m'occuper de Karen, de lui apprendre à devenir responsable de sa vie.

Sans la lâcher, il s'efforça d'adoucir le ton de sa voix.

— Erica, ça ne marche pas. Elle parle de déménager mais elle n'a toujours pas bougé. Elle dit qu'elle va quitter son travail mais... pour quoi ! Pour aller s'occuper de vieillards ! Je souhaite autre chose pour elle.

— Vous ! Toujours vous !

Cette fois, elle se détacha carrément de lui, repoussant cette intimité qu'ils avaient créée et qu'il venait de détruire.

— Est-ce tout ce qui compte, ce que vous décidez pour Karen ?

Elle luttait pour ne pas laisser percer la colère qui l'étouffait, mais en vain.

— Croyez-vous qu'elle sera indépendante si elle ne fait pas d'études ? objecta Jess plus calmement. Allons, Erica, ne vous emportez pas. Cette nuit est à nous.

Elle avait bien envie d'accepter, de céder, de ne plus penser aux interventions intempestives de Jess dans la vie de sa sœur, de baisser les bras et de se reposer sur lui. Mais c'était impossible, car elle savait qu'en reculant, elle ferait plus que perdre Karen : elle mettrait leur couple en péril.

Elle secoua la tête et sortit de cette cabine qui, quelques minutes auparavant, lui paraissait si tiède et si intime. Elle resta sur le pont, respira une grande bouffée d'air frais. Jess se tenait non loin d'elle, sa pipe à la main.

— J'imagine, dit-elle avec amertume, que vous allez m'expliquer mon échec avec Karen et que le vrai docteur va maintenant la reprendre en main.

— C'est vous qui le dites, Erica.

— Mais...

— Mais dans un sens je suis d'accord avec votre analyse. Franchement, j'espérais d'autres résultats.

Il bourra sa pipe et l'alluma, impassible, comme si le Dr Ingram avait repris le pas sur Jess.

Les bateaux regagnaient le port illuminé. Il se faisait tard, le week-end s'achevait mais il restait encore des promeneurs qui s'attardaient sur les quais, dans la tiédeur du soir. Erica aurait donné cher pour que cette nuit fût achevée depuis longtemps. Ou ne finît jamais...

Jess persistait dans ses explications.

— Encore une fois, ce changement de travail ne rime à rien. D'autre part, elle ne fait aucun effort pour quitter ce musicien qui exerce sur elle un ascendant de plus en plus marqué. Elle n'a aucune ambition...

Erica explosa :

— Aucune ambition ? Parce qu'elle refuse de suivre vos diktats ? Quant à ses relations avec Tony, elle commençait justement à voir à qui elle avait affaire. Elle était sur le point de tout changer !

— Sur le point... sur le point... Erica, votre thérapie paraît fondée sur une simple hypothèse. Quant à Karen elle est sûrement d'accord pour évoluer mais elle ne lève pas le petit doigt ! Après deux mois de dialogues, avouez que c'est peu de résultat.

Il tira une bouffée de sa pipe, vint vers elle.

— Combien de temps vous faudrait-il encore, Erica, deux autres mois ? Un an ? Karen a besoin qu'on intervienne effectivement, comme je l'ai fait.

— Comme vous l'avez fait ?

Tout d'un coup, une peur sourde prenait la place de sa colère.

— Que voulez-vous dire, Jess ?

— Je me suis rendu à Los Angeles hier soir pour voir Tony. Je lui ai dit de s'en aller. La location est au nom de ma sœur ; je l'ai prévenu : s'il refuse d'obtempérer, je le ferai jeter dehors. Un pas décisif a été accompli de ce fait. Le reste suivra tout seul. Karen quittera son emploi, reprendra ses études, reviendra habiter un endroit décent...

— Elle vous l'a promis ?

Il haussa les épaules.

— Pour l'instant elle se remet de ses émotions. Mais je sais qu'elle prendra des décisions, tôt ou tard. Maintenant que Tony n'est plus là pour la gêner...

— Vous lui forcez la main, Jess.

— Elle a compris que j'avais raison.

Erica s'affaissa sur une banquette, humide à cause de l'air du soir. Elle ne pouvait s'empêcher de croire qu'il avait tort sur toute la ligne, que rien ne se passerait comme il paraissait si bien le croire. Elle connaissait Tony. Il ne s'en tiendrait pas là. Et Karen... qui était prête à rompre avec lui, ne risquait-elle pas maintenant, par pure révolte, de suspendre plutôt toute relation avec son frère ?

Mais Jess avait raison, au moins sur un point.

— Elle a dû comprendre, en effet, car elle vous aime, Jess, plus que personne au monde, sans doute. Elle rêve que vous soyez fier d'elle. Et elle se sent méprisée par vous, autant que moi.

— Que dites-vous ?

— Vous m'avez très bien comprise. Vous continuez à vous moquer de ce que je fais...

— Erica, c'est vous que j'aime, pas votre profession !

Il la prit dans ses bras mais elle ne voulut pas le regarder.

— Oh, Jess ! N'avez-vous pas compris que j'ai autant besoin de votre respect que de votre amour ? Je voudrais que vous soyez fier de ce que je fais. Mon travail fait partie de moi-même.

— Je sais, mais je n'y arrive pas.

Elle resta un instant interdite puis, sans un mot, prit son sac et quitta le bateau, les yeux secs.

Sa voiture était garée près du club nautique. Elle percevait encore la voix de Jess :

— Erica, ne partez pas comme ça. Nous pouvons toujours...

Elle ferma la porte et n'entendit pas la suite.

Tout cet amour auquel elle avait tant cru s'effondrait comme un simple château de cartes.

## Chapitre 14

Erica venait de sombrer dans un sommeil bourdonnant quand le téléphone l'éveilla en sursaut. Elle décrocha en regardant sa pendule : deux heures du matin.

— Docteur Jordan ?

La petite voix tremblante était facile à reconnaître.

— Oui, Karen.

— J'ai besoin de vous, docteur Jordan. Je vous en supplie, venez. Tony... il est hors de lui... mon frère...

— Oui, je sais.

Elle s'assit sur le lit, prit un carnet et un crayon pour jeter quelques notes en vue de la séance du lendemain.

— Tony ne veut pas partir. Il est dans l'autre pièce en ce moment, c'est pourquoi je peux vous appeler. J'allais tout lui expliquer, lui dire de partir quand mon frère est arrivé...

— Je sais, Karen. Il a tout gâché.

— Et le pire c'est que Tony ne fait pas son disque. Il l'a appris ce soir. Ils ont pris un autre guitariste.

Erica se mordit la lèvre. Ces deux événements conjugés pouvaient rendre Tony réellement dangereux. Elle prit le ton le plus calme et le plus ferme possible.

— Il faut que vous partiez, Karen. Ne prenez rien avec vous. Inventez n'importe quel prétexte et partez. Avez-vous des amis dans le voisinage ?

— Oui, murmura l'adolescente.

— Alors allez chez eux. Raccrochez maintenant et partez, sans avoir l'air de vous précipiter.

— Docteur Jordan, je...

— Ne dites plus rien. Partez.

— Je ne peux pas. Tony ne... il ne me laissera jamais...

Erica s'arrêta d'écrire. Elle se leva, écouta encore plus attentivement car ce qu'elle entendait maintenant, ce n'était plus la voix de Karen mais les cris de Tony à travers la pièce :

— Tu ne lui as pas dit de venir ici, non ?

Apparemment il avait pris l'appareil en main et criait aussi bien pour Karen que pour elle. Erica s'empressa de répondre, avec une fermeté qui l'étonna elle-même :

— Si Tony, si, elle me l'a demandé.

Il y eut un long silence. Puis il lança :

— Et alors, qu'attendez-vous ? Nous avons justement deux mots à nous dire, n'est-ce pas ?

Maintenant Karen avait vraiment besoin d'elle. Mais il fallait commencer par calmer Tony, lui parler, le raisonner.

— Je n'ai pas l'habitude de voir mes patients hors de mon bureau.

— Il faut un commencement à tout !

— Tony...

Elle comprit soudain qu'elle devait commencer par chasser toute tentation d'autorité avec ce rebelle.

— Tony, je suis tout à fait d'accord pour vous rencontrer, mais il va falloir me laisser le temps d'arriver...

— A cette heure-ci, il n'y a pas beaucoup de circulation.

— D'accord, mais vous habitez loin quand même. Si nous nous retrouvions plutôt à mi-chemin...

Elle voulait le faire sortir de cette maison, l'éloigner de Karen.

— Pas question, je reste où je suis.

— C'est bon, Tony. J'arrive aussi vite que je le peux. Expliquez-moi le chemin après Santa Monica.

Elle nota ; sa main tremblait un peu mais cela, fort heureusement, Tony ne pouvait le voir.

— Vous avez fait vite, docteur Jordan ! Bravo !

Tony se tenait dans l'encadrement de la porte, moqueur.

— Entrez donc dans notre palais !

Erica fit un pas en avant, ferma la porte derrière elle et comprit que quelque chose n'allait pas, quelque chose qu'elle avait déjà perçu au téléphone sans vraiment en prendre conscience : Karen tremblait de peur et de fièvre, incapable de résister plus longtemps.

Erica ne voulait, ne devait pas paraître

impressionnée. Elle était venue pour discuter, pour exercer son métier.

— Je vous écoute, dit-elle en s'asseyant sans y avoir été invitée.

Tony la contemplait, mi-incrédule, mi-ironique, incapable de dire maintenant pourquoi il l'avait fait venir. Il avait défié un être qui, à ses yeux, représentait l'autorité honnie et, à sa grande surprise, cette femme superbe, qui avait socialement si bien réussi, s'était déplacée à deux heures du matin jusque dans sa banlieue, sur sa simple demande !

Maintenant qu'il avait obtenu ce que lui-même ne considérait que comme un caprice, il ne savait plus que faire.

Quant à Karen, elle restait sur sa chaise, misérable chaton tremblant de fatigue. Visiblement elle n'avait ni mangé ni dormi depuis la veille.

Prise d'un élan de pitié, Erica se leva.

— Où allez-vous ? demanda Tony aussitôt sur la défensive.

— Je m'occupe de votre amie puisque à l'évidence vous n'êtes plus capable de le faire vous-même.

Il la regarda, complètement incrédule et désorienté.

— Qu'est-ce qu'elle a ?

Cet étonnement donna une idée à Erica.

— Vous ne voyez pas qu'elle est épuisée ?

— Non... si...

210

— Alors bougez un peu! Apportez quelque chose à manger.

Tony marqua un temps d'hésitation.

— C'est que... je crois que le réfrigérateur est vide.

— Evidemment!

Elle se dressa, furieuse. Elle tenait bien la situation en main maintenant. Le malheureux Tony paraissait se dégonfler comme une baudruche au fur et à mesure qu'il la voyait prendre de l'assurance.

— Alors, vous ne voulez pas qu'elle parte, mais vous n'avez pas de quoi la nourrir! Et vous ne voulez pas qu'elle dorme non plus?

— Si... mais...

— Dans ce cas, je l'emmène.

Il se mit devant la porte pour lui barrer le chemin.

— Pas question. Elle reste avec moi.

— Pour quoi faire?

Elle devait trouver très vite la parade, afin de garder la situation en main.

— Vous tenez absolument à ce qu'elle perde toutes ses forces? reprit-elle avec véhémence. Cette jeune fille est malade, par votre faute.

— Je n'ai rien fait!

— Non, et c'est justement pour ça qu'elle se retrouve dans cet état. Je ne vous félicite pas!

— Oh, ça va!

— Ça ira encore mieux si vous courez chercher des médicaments.

— Je n'ai pas d'argent.

— Prenez cela.

Au lieu des billets qu'il espérait, elle lui tendit une ordonnance établie par elle-même.

— Il n'y a pas de pharmacie dans le quartier, bougonna-t-il.

— Débrouillez-vous ! Ou préférez-vous que j'appelle police secours ?

— Non.

Cette fois, il n'hésita plus longtemps, fourra l'ordonnance dans sa poche et partit en claquant la porte.

Erica et Karen se regardèrent et l'adolescente, qui était demeurée interdite jusqu'ici, fondit soudain en larmes.

La jeune femme la prit dans ses bras.

— Là, c'est fini, petit. Nous allons rentrer chez moi, maintenant. Vous mangerez et vous dormirez, et demain tout ira mieux.

— Où est parti Tony ?

— Chercher des médicaments, répondit-elle prudemment.

— Mais... quand il reviendra ?...

— Il ne reviendra pas avant longtemps, je le crains, avoua-t-elle.

Karen sanglotait maintenant sur son épaule.

— Je tiens tant à lui, docteur Jordan, mais... il me faisait peur ces derniers temps...

— Soyez rassurée, désormais. Vous avez surtout besoin de vous reposer.

Elle l'aida à réunir quelques maigres affaires. Puis toutes deux descendirent l'escalier de béton et rejoignirent la voiture qui attendait devant l'entrée. Tony ne donna pas signe de vie. Il avait bel et bien disparu.

Tout en conduisant à travers les larges avenues vides de Los Angeles, Erica ne pouvait s'empêcher de songer douloureusement à Jess. Si tout était fini entre eux, elle venait de sauver sa sœur qui dormait maintenant à côté d'elle.

Des larmes coulaient le long de ses joues éclairées par les lampadaires tristes de la ville. L'homme dont la pensée la faisait encore trembler de bonheur — elle ne s'était pas habituée à l'idée qu'il allait disparaître de sa vie —, cet homme si tendre et si dur, elle venait de le perdre à jamais parce qu'il n'avait pas voulu ou pas su comprendre l'importance du métier qu'elle exerçait. Et, par une cruelle ironie du sort, c'était ce même métier qui lui permettait de soustraire Karen à une situation dangereuse qu'il avait lui-même provoquée.

Mais cela, il ne le comprendrait ni ne l'admettrait jamais.

Erica pleurait maintenant, pleurait son amour qu'elle perdait en même temps que Karen renonçait au sien.

Comme deux âmes en peine, toutes deux sortirent de la voiture.

Erica s'évertuait à refouler ses larmes lorsqu'elle s'aperçut que, pour une fois, elle avait pensé à laisser l'entrée éclairée.

Elle tourna la poignée, en soutenant tant bien que mal Karen qui tombait de fatigue et d'émotion.

Et c'est Jess qui vint à son aide... Pétrifiée, Erica s'aperçut qu'il l'avait attendue sur le perron, comme autrefois, au club.

Il n'eut pas besoin de s'expliquer pour lui faire comprendre qu'il était revenu, qu'il la croyait, maintenant qu'elle ramenait Karen.

Elle-même à bout de forces, elle fondit en larmes, le laissant s'occuper de tout, pleurant et riant à la fois.

Ils aidèrent Karen à se déshabiller et à se coucher, avant de se retrouver seuls dans le living silencieux. Il lui prit doucement la main, la porta à sa bouche.

— Merci, dit-il. Merci pour tout ce que vous avez fait.

Il l'attira à lui et elle se blottit dans ses bras en se rappelant son chagrin quand elle croyait l'avoir perdu. Comme une naufragée, elle s'agrippa à lui et pleura de plus belle sur son épaule. Mais ce fut de bonheur, cette fois-ci.

— Pardonnez-moi, Erica. Pardonnez-moi de n'avoir pas cru en vous, de vous avoir mise dans une telle situation.

— Comment avez-vous su ? put-elle articuler entre deux sanglots.

— J'ai trouvé ceci près de votre lit... Vous n'aviez pas fermé votre porte à clef...

Il lui montra les notes qu'elle avait prises durant sa conversation avec Tony.

— En voyant l'adresse de Karen, j'ai compris et j'ai aussitôt téléphoné.

— En vain, je suppose ?

— Pas du tout, Tony m'a répondu !

Erica tressaillit.

— Il était revenu ?

— Oui, pour prendre ses affaires, m'a-t-il dit. Il en a profité pour m'abreuver d'injures et me dire que vous étiez parties. Alors j'ai attendu.

Il lui caressa les cheveux.

— Je ne sais pas comment vous êtes parvenue à lui enlever Karen, mais je crois que vous avez fait preuve d'une remarquable diplomatie, docteur Jordan !

Elle appuya sa joue contre sa main.

— Merci d'être venu, Jess. Si vous saviez comme j'avais besoin de vous voir !

— Moi aussi. Après votre départ, je suis resté sur le bateau mais je n'ai pas pu dormir. J'ai fini par vous appeler, la ligne est restée long-temps occupée puis tout d'un coup vous ne répondiez plus. J'ai alors commencé à m'inquié-ter et je suis venu ici, où j'ai trouvé la lumière allumée et ces notes par terre.

Il l'attira de nouveau contre lui.

— Je me suis trompé sur votre métier, Erica. Il vous a permis de sauver ma sœur. J'éprouve une immense reconnaissance pour ce que vous venez de faire. Et de l'admiration.

— Merci.

C'est tout ce qu'elle sut répondre. Il venait de lui avouer ce qu'elle n'attendait plus.

Elle se réfugia avec délices entre ses bras protecteurs. Rétrospectivement, elle frissonnait de peur et de froid à l'idée de ce qu'elle avait fait, dans la nuit d'une ville parfois inhumaine. Et ce n'était pas le Jess habituel qui la serrait contre lui, mais un Jess qu'elle n'avait encore jamais vu.

— Votre métier est important. Je le sais. Je l'ai toujours su. Mais j'étais trop rigide et trop entêté pour le reconnaître. J'avais tort.

Il se répétait, maintenant, comme pour se faire pardonner... un inadmissible retard.

Par les fenêtres pénétraient les premières lueurs d'une aube timide tandis qu'entre Erica et Jess, les chagrins de la nuit se transformaient en élans de joie.

— J'ai encore une question à vous poser, Erica, mais comme elle est délicate, vous me pardonnerez s'il m'arrive de bredouiller... Voulez-vous m'épouser ? demanda-t-il, très vite.

Elle leva brusquement la tête, le visage encore baigné de larmes, grave et lumineux à la fois. Elle ne disait pourtant rien, comme si elle attendait encore d'autres paroles.

— Je vous aime, Erica.

Le souffle court, brisé par l'émotion, il répéta :

— Comme je vous aime !

Maintenant, c'était elle qui le prenait dans ses bras, le serrait, l'enveloppait de son amour.

— Oui, je veux vous épouser, Jess. Oh oui ! oui ! oui !

Elle en criait presque de bonheur.

— Nous passerons notre lune de miel au club Capricorn, dit Jess en souriant. J'y apprendrai à me détendre.

Elle sourit, l'embrassa.

— J'ai une meilleure idée. Nous la passerons sur le *Wanderer*. Et c'est moi qui vous apprendrai à vous détendre.

A l'horizon le ciel étirait ses nuages mauve pâle au-dessus de la colline. Mais ni Jess ni Erica n'avaient plus sommeil.